Y CORFF YN Y PARC

Y Corff yn y Parc

a storïau ffeithiol eraill

Mihangel Morgan

GWASG Carreg Gwalch

Argraffiad cyntaf: Hydref 1999

ⓟ *Mihangel Morgan/Gwasg Carreg Gwalch*

Rhif Llyfr Safonol Rhyngwladol:
0-86381-591-X

Cynllun clawr a lluniau y tu mewn: Siôn Morris

Argraffwyd a chyhoeddwyd gan Wasg Carreg Gwalch,
12 Iard yr Orsaf, Llanrwst, Dyffryn Conwy, LL26 0EH.
☎ 01492 642031
📠 01492 641502
✉ llyfrau@carreg-gwalch.co.uk
lle ar y we: www.carreg-gwalch.co.uk

Ymddangosodd 'Y Corff yn y Parc' yn wreiddiol yn Taliesin, Haf 1997.

Cynnwys

Y Ferch yn y Carped

I

Roedd hi'n dwlu ar Adam Ant, wedi cael calendr o luniau ohono o Woolworths. Heb dalu. Roedd hi'n eithaf hoff o'r bechgyn blond yn Police. Cawsai ffrae 'da Jodie un tro. Jodie yn taeru'u bod nhw'n Americanwyr, wedi'u clywed nhw'n siarad ar y teledu ar Old Grey Whistle Test yn hwyr un noson. A hithau wedi dweud na, o'r wlad 'ma oedden nhw. Ond roedd y ddwy ohonyn nhw'n iawn ac yn rong gyda'i gilydd. Wath roedd y drymiwr yn dod o America a'r ddau arall yn Saeson. Sting oedd enw'r prif ganwr. Jodie a hi'n ffrindiau wedyn eto.

Roedd hi'n licio cân y Police. *'Don't stand so, don't stand so, don't stand so close to me.'* Ac roedd hi'n licio Soft Cell hefyd. *'In bedsit land my only home'* oedd un o'i hoff linellau yn y byd.

Ond doedd dim byd 'da hi i chwarae miwsig arno. A dim arian i brynu unrhyw beth. Felly dygodd hi chwaraeydd tapiau – a'r tapiau hefyd – oddi wrth ferch arall cyn gadael y cartref.

Cartref. Blydi twll o le.

Ac aeth i aros gyda'i mam. Ond y peth chwarae tapiau 'na oedd asgwrn y gynnen rhyngddyn eto pan redodd hi allan i'r stryd gan roi clep ar y drws ar ei hôl a gadael y tŷ yn siglo i'w seiliau.

'I'm never goin' fuckin 'ome again, never,' meddai wrth Sher a Trace.

Roedd hi'n licio'r Human League a Phil Oakley, ei wallt yn hir ar un ochr, yn hongian fel llen dros y naill lygad, ac yn fyr ac yn daclus ar yr ochr arall. Gwelson nhw griw o fechgyn yn Big Asteys ac un ohonyn nhw gyda'i wallt yn union fel Phil Oakley. Ond roedd e'n chwarae 'da *rubik cube* drwy'r amser. Roedd e'n gallu'i ddatrys ar amrantiad ac yn ei wneud drosodd a throsodd. Doedd hi ddim yn gallu cael ei sylw am eiliad.

'C'mon, Sher. Bloody kids they are.'

Ond roedd hi wrth ei bodd yn Big Asteys oherwydd gallai edrych ar yr holl fysiau mawr oren.

'I fancies jumpin' on one and goin' wherever it goes, I don't care, an' never comin' back,' meddai, *'never ever.'*

Ac roedd Sher a Trace yn ei chredu hi.

Roedd hi'n ddiwrnod braf. Haf. Creadures wyllt oedd hi, boncars, cyfaddefai i hynny ei hunan – *'I'm mad I am.'* Gwnâi unrhyw beth, dim ots ganddi. Ysgol? Stwffiwch yr ysgol a'r blydi athrawon – cwîars oedd y dynion ac roedd y menywod i gyd yn lesbiaid. Treiodd un ohonyn nhw ddodi'i llaw 'ddi yn ei nicars! Ond doedd neb yn ei chredu pan gwynodd amdani wrth y prifathro. Bastad oedd hwnnw hefyd. Doedd hi ddim yn trystio'r un ohonyn nhw. Na'r gweithwyr cymdeithasol chwaith. Beth oedd hi ddim yn licio amdanyn nhw oedd y ffordd oedden nhw i gyd yn mo'yn bod yn ffrindiau 'da chi, yn treio bod yn drendi drwy siarad am y bandiau diweddara, yn cynnig sigarennau i chi. *'We care about you, we really care.'* Doedden nhw ddim yn gallu'i thwyllo. O'n nhw'n rhy hen i wybod dim am y miwsig roedd hi'n licio – ond byddai hi'n cymryd eu sigarennau am ddim, diolch yn fawr. Smygu? Wrth gwrs ei bod hi'n smygu ers pan oedd hi'n ddim o beth, fel simdde. *'You gorra die somehow, hav'n ya?'* Na, dim ysgol iddi hi, dim diolch, dim gweithwyr cymdeithasol, dim rhieni chwaith. Nid bod ei rhieni yn poeni amdani hi. Doedd hi ddim yn gwybod ble'r oedden nhw a doedden nhw ddim yn gwybod ble'r oedd hi – gobeithio. Siwtio pawb. Pawb yn hapus. Ac er bod yr heddlu yn dod ar ei hôl hi weithiau, a'r gweithwyr cymdeithasol byth a hefyd, doedd hi ddim yn mynd i ddweud wrthyn nhw ble'r oedd hi'n byw. Lan iddyn nhw i'w dal hi. Haws dweud na gwneud. Roedd hi'n licio gorwedd yn ei gwely drwy'r bore tan un o'r gloch, hanner awr wedi un. Dau, weithiau. Ei gwely? Wel, unrhyw wely. Ble bynnag oedd hi'r noson cynt. Hi a Trace, hi a Jodie, hi a Sher. Ffrindiau. Mae'n dibynnu. Wedyn byddai hi'n mynd ma's – ar ôl ffag arall a choffi bach. Cadjo tsips gan y bechgyn yn Caroline Street. Cadjo ffags. Dwyn rhywbeth o Woolworths – hawdd. Dwyn caniau o gwrw neu *lager*. Mynd i'r pics wedyn. Hi a Sheryl. Michael J. Fox. Ffwor! Sibrwd a giglan drwy'r ffilm. Un tro troes yr hen foi 'ma rownd a gweud, *'Do you think you could keep quiet?'* Os do fe! Dyma hi'n ei ateb e 'nôl fel fflach. *'Do you want me to break your face?'* Piso chwerthin wedyn nes cael eu taflu allan ar y stryd eto. Yn y glaw. Merch swnllyd oedd hi, yn llawn bywyd, yn ddireidus. Ac yn ferch dawel, surbwch, dawedog. Anodd oedd hi, gwaith caled.

Sharon yn gofyn i Jodie oedd hi wedi'i gweld hi'n ddiweddar? Sheryl yn gofyn i Tracey. Neb wedi'i gweld hi ers tro. Efallai ei bod hi wedi dal un o'r bysiau 'na a mynd yn bell, bell i ffwrdd fel roedd hi wedi bygwth gwneud sawl gwaith.

Roedd hi'n arfer mynd gyda dynion. Dim amser i fechgyn, dim arian gyda nhw. Dim hwyl. Yna, byddai hi'n dod yn ôl, yn ymddangos o rywle – *'Heia, Shar! Heia, Trace!'* Ble ti wedi bod? Dim ateb. Un fel'na oedd hi. Bydden nhw'n mynd gyda dynion am arian, hi a Trace, hi a Jodie. Wedi'r cyfan roedd *blow job* yn hawdd, *hand job* yn haws. Ych-a-fi ond hawdd. Wedi'r cyfan roedden nhw'n gorfod cael arian – fel arall oedden nhw'n mynd i gael bwyd? Roedd pawb yn gorfod b'yta a chael dillad. Ond o leia roedden nhw'n gallu dwyn dillad. *'Slacs Karmen Ghia, we'll 'ave 'em.'* Amser da. Mynd o barti i barti, stryd i stryd. Sblott, Adamsdown, Grange, Riverside, y docia, Y Rhath, Adamsdown eto, Sblott eto. Mynd i'r tafarnau a smygu a rhegi ac yfed nes i rywun sylweddoli'u bod nhw dan oed. Ti'n rhy ifanc, ma's. *'I'm fuckin nineteen, so fuck off!'* *'Prove it!'* *'I havn't got my birth systificate on me.'*

Wedyn byddai hi'n diflannu eto. Sharon yn gofyn i Sheryl, Sheryl yn holi Tracey, Tracey yn holi Jodie. Yna, byddai hi'n dod yn ôl 'to. Llygad du, cleisiau ar ei hwyneb a'i breichiau. Ond, roedd hi'n iawn, meddai. Dwyn pecyn o sglodion oddi wrth grwtyn ysgol a'u b'yta yn y parc. 'Ti'n gwbod be faswn i'n licio neud, Shar? Mynd i fyw yn y wlad. Bwthyn bach, rhosys o gwmpas y drws. Cadw ieir, gafr, cath, ci.' 'Beth am ŵr a phlant?' 'Dim gŵr, dim diolch. Plant? Pam dod â mwy o blant i'r byd i fod yn bobl unig?' Ond, roedd hi'n gallu bod yn garedig wrth hen bobl. Un tro helpodd hi hen wraig i groesi'r ffordd. A dwyn ei phwrs hi. Roedd 'na lun o'r hen fenyw ar gerdyn, a'i llyfr pensiwn. Cyn iddyn nhw'u taflu sylwodd ar ddyddiad geni'r hen fenyw. 1907. Ew! Trybeilig o hen Sharon. Dwi ddim eisiau bod yn hen fel'na. Welest ti'i dwylo 'ddi? Fel crafangau, a'r croen fel hen sach. Ac roedd ei gwallt hi'n denau, fel gwallt hen ddyn, a'i llygaid fel llaeth, a thipyn o farf wen o gwmpas ei gên. Ych-a-fi. Pwy sy' eisiau bod yn hen?

Wedyn, byddai hi'n diflannu am gyfnodau meithach ac yn ymddangos eto gyda chleisiau newydd ar ei hwyneb, ei breichiau, ei choesau.

Ond doedd hi ddim mor hawdd ffeindio'r un hen ffrindiau. Roedd Sharon yn gweithio – yn gweithio! – meddylia – yn Woolworths! Ac roedd Tracey wedi symud i Birmingham. Ac roedd plentyn gyda Jodie, mab o'r enw Kyle. Un ar bymtheg oedd Jodie.

Roedd ganddi ffrindiau newydd. Gwelodd Sheryl hi gyda dyn â'i ben wedi'i eillio a thatŵ ar ei gorun, sarff las ar ffurf troell, modrwyau yn ei drwyn, a merch ifanc feichiog a chi brown ar reffyn. Mewn parti oedd hyn ac roedden nhw'n yfed ac yn smygu rhywbeth, yn cyfnewid

9

ac yn rhannu'r sigarét. Llewygodd y ferch feichiog a gorwedd ar y llawr, pobl yn camu drosti, dros ei thwmpyn o fol. A dyna lle'r oedd hi, meddai Sheryl, yn snogio mewn cornel gyda'r dyn penfoel.

Ac roedd hi wedi gwylio'r ddefod hon sawl gwaith erbyn hynny. Mewn partïon, mewn tai gwag gyda thyllau yn y ffenestri, dim ffenestri, sbwriel a charegach ar hyd y llawr, tyllau yn y to, dim toeau, dim waliau rhwng ystafelloedd, dim celfi, dim ond bocsys i eistedd arnyn nhw, baw cŵn, oglau piso cathod, piso dynion, caniau cwrw a *lager* gwag, condoms wedi sychu'n grimp. A nawr mae hi'n rhan o'r ddefod. Dyw hi ddim yn licio'r nodwyddau ond mae Quicko'n mynnu'i bod hi'n sticio un ynddo fe er ei bod hi'n gwybod bod y nodwydd yn hen ac wedi cael ei defnyddio sawl gwaith yn barod. Mae Quicko'n teimlo'n ddrwg, mae rhywbeth yn sgriwio'i ben, y tu mewn, meddai. Yna, ildia i'r nodwydd er ei fod e'n cnoi'i wefus isaf gyda'i ddannedd du a melyn, ei wyneb yn llwyd fel y lludw. 'Slowly! Slowly!' Mae hi'n dychryn, bron yn gollwng y blydi nodwydd o'i dwylo, ei bysedd yn crynu nawr. Be tasa hi'n ei ladd e? 'Sa fe'n marw? Mae hi'n tylino'i fraich. Mae'n anodd dod o hyd i le heb dwll, heb glais glas, heb grachen. Mae gwythiennau porffor ei fraich yn gordeddog – ond mor denau ydyn nhw, fel mwydod, ond maen nhw'n las, fel edau. Mae hi'n gallu teimlo'r chwys ar ei thalcen, yn diferu lawr ei gruddiau. I mewn â'r nodwydd a thynnu'r chwistrell – sydd yn cynnwys tipyn o waed nawr. Gwaed Quicko. Gwaed disgleirgoch. Blydi gwaed. Yna, mae'r cyffur yn ei daro. Mae Quicko yn mynd i fyd arall hebddi hi. Ma' fe'n gweiddi 'Shit! Shit!'.

'Wanna fuck now?' mae Churchy yn gofyn iddi. Felly maen nhw'n ffwcio. Mae hi'n disgwyl ar Quicko dros ysgwydd Churchy.

Mae Quicko a Churchy yn gorfod cael arian. Hyn a hyn o arian bob dydd. Mae hi'n gorfod cael yr arian iddyn nhw. Bob dydd a phob nos mae hi'n gorfod meddwl yn galed sut i gael yr arian. Quicko a Churchy sy'n dod â'r gwaith, y cwsmeriaid ati hi. Hen, canol oed, tal, byr, tenau, y rhan fwyaf ohonyn nhw'n dew a'r rhan fwyaf ohonyn nhw'n benfoel. Blew gwyn, gwallt tenau, brith, seimllyd. Gruddiau, bochgernau, genau garw, brisls i gyd. Croen coch, chwyslyd. Anadl sy'n gwynto o sigarennau, cwrw, diod, dannedd yn pydru, gwynt bwyd, cyrri, garlleg. Mae'r pethau hyn i gyd yn dod yn ôl ac yn ei phoeni yn ei chwsg. Hunllefau. Y cwsmeriaid fel ellyllon a chythreuliaid yn uffern a hithau yn eu canol nhw, yn cael ei phoenydio ganddynt. Mor debyg yw ei breuddwydion i'w bywyd beunyddiol. Mae hi'n gwneud ei gorau. Ond 'dyw ei gorau ddim yn ddigon da. Mae 'na rai pethau 'dyw hi ddim yn eu licio. Ond wiw iddi ddangos unrhyw wrthwynebiad. Mae unrhyw wrthsafiad ar ei rhan hi yn eu gwylltio nhw – Quicko, Churchy, y cwsmeriaid – dyna pryd mae pethau'n mynd yn groes.

Gwelodd Sharon yn y dref un tro a soniodd wrthi am y partïon. Weithiau byddai hi'n mynd i bartïon ac yn ei chael ei hunan mewn stafelloedd tywyll llawn o ddynion a byddai hi'n tynnu'i dillad ac yn sefyll yno yn eu canol nhw yn noethlymun. *'Why d'you do that for?'* *"Cos they wants me to.'* Ac roedd y gweithwyr cymdeithasol ar ei hôl hi eto, a'r heddlu. Roedd hi'n gorfod cuddio. Roedd hi'n eu casáu nhw. 'Nenwedig y *pigs*. Roedd dau blismon wedi teimlo'i bronnau 'ddi pan a'th y blismones ma's. Doedd hi ddim i fod i'w gadael hi gyda nhw. Ond deic oedd honna hefyd. Roedd ambell un o'r menywod gwaith cymdeithasol yn iawn, ond doedd hi ddim yn eu trystio nhw.

Aeth hi'n dawelach. Newidiodd ei phersonoliaeth. Doedd dim cymaint o hwyl ynddi. Be sy'n bod arnat ti? Cafodd hi a Sheryl ffrae. Collodd ei ffrindiau i gyd.

Yna, doedd neb yn ei gweld hi yn Sblott, Adamsdown, Grange, Riverside, XL, Caroline Street, Big Asteys hyd yn oed. Y ferch od 'na. Doedd yr heddlu ddim wedi cael unrhyw drafferth gyda hi ers tro. Oedd hi wedi symud? Wedi mynd yn bell, bell i ffwrdd ar un o'r bysiau – ymhellach na'r bysiau oren – hyd yn oed i Lundain efallai? Y ferch 'na, beth oedd ei henw?

II

Distawrwydd. 1982. 1983. 1984.

Eurythmics *'1984, Sex Crime!'*

Neb yn cofio.

Maen nhw wedi llwyddo, wedi mynd yn groeniach. Bywyd yn mynd yn ei flaen. Euogrwydd fel petai'n cilio. Dim cydwybod gan yr un ohonyn nhw. Mater o gadw'n dawel oedd hi, ac anghofio.

Distawrwydd 1985. 1986. 1987. 1988.

Mae'r bedd yn ddistaw ac yn amyneddgar. Mae'r stori hon yn dibynnu ar sawl 'oni bai'.

1989. Blwyddyn arall o ddistawrwydd bron wedi dirwyn i ben.

Rhagfyr. Buasen nhw wedi mynd yn groeniach *oni bai* fod rhaid adnewyddu'r hen dŷ. Ond dywedasai ef na fuasai neb yn codi'r darn o goncrid yn yr ardd gefn. Ond roedden nhw'n gorfod gwneud rhywbeth i'r garthffosiaeth. Doedd e ddim wedi rhagweld hynny. Ac wrth iddyn nhw balu drwy'r concrid yn yr ardd daeth y gweithwyr ar draws darn o garped.

Galwad ffôn i'r heddlu.

Yn y carped roedd 'na sgerbwd wedi'i glymu gan weirennau trydan. Bag plastig dros y benglog.

O fewn diwrnod gallai arbenigwr ar ddannedd o'r brifysgol ddweud taw merch oedd hon, tua un ar bymtheg a hanner oed. Pum troedfedd, pedair modfedd oedd ei thaldra.

Garden Grave Girl was 16½.

Ond pwy oedd hi? Beth oedd ei henw? Mae'r clustdlysau bach aur a'r darnau dillad yn rhai rhad a chyffredin. Ond maen nhw'n gymorth i'w lleoli hi a'i dyddio hi. Merch leol oedd hi.

Daeth y carped y lapiwyd ei chorff ynddo o'r rhandy yn seler y tŷ ar bwys yr afon. Tŷ sy'n labrinth o fflatiau bach mewn ardal o'r ddinas lle mae pobl yn mynd ac yn dod. Neb yn aros yn hir. Diolch i'r drefn mae 'na borthores ac mae ganddi lyfr sy'n cofnodi enwau holl gyndrigolion y rhandai. Mae 'na gannoedd ohonyn nhw. Rhaid i'r heddlu chwilio am bob un a'u holi nhw'n fanwl.

Daw'r carped yn un o'r pethau pwysicaf yn eu cwestiynau rhyfedd.

Yn y diwedd mae'r heddlu'n holi dros saith cant o gyn-drigolion y lle ar wasgar ar hyd y wlad a gwledydd eraill.

Dadansoddiad o weddillion y dillad, y carped a phryfed ar y corff sy'n awgrymu bod y ferch wedi cael ei chladdu yn yr haf yn 1981.

Ond does dim enw.

Dyma'r ail *oni bai*. Oni bai fod yr heddlu wedi clywed am artist meddygol sydd wedi datblygu dull o lunio cerflun o'r pen ar sail y benglog . . . pwy a ŵyr?

Gwnaeth yr artist gerflun o'r peth yn gyflym iawn. Gwnaeth gerflun o'r dyn canol oed a losgwyd yn y tân yn King's Cross, ac erys y dyn hwnnw yn anhysbys.

Lledaenir llun o gerflun y ferch drwy'r wlad.

Somebody must know who she is.

Have you ever seen this girl?

Unidentified Female Body.

Ac yn anochel: *Little Miss Nobody.*

Ei llysenw erbyn hyn yw: *The Girl in the Carpet.*

Mae'r heddlu yn derbyn cannoedd o alwadau ffôn ar y llinell gymorth. Dros ugain o enwau yn cael eu cynnig, ac un ohonyn nhw'n codi ddwywaith. Dilëir y pedwar enw ar bymtheg arall drwy ymholiadau.

Deuir o hyd i gofnodion deintyddol yr enw a erys. Mae'r cofnodion yn cyfateb yn union i ddannedd y sgerbwd. Ond mae angen mwy o dystiolaeth cyn y gellir enwi'r ferch.

Mae gwyddonydd biocemeg o Rydychen yn codi DNA o'r esgyrn ac mae'r gwyddonydd a ddyfeisiodd 'olion bysedd' DNA yn cymharu'r deunydd a godwyd o'r sgerbwd â DNA rhieni'r ferch a awgrymwyd. Fel hyn y sefydlwyd pwy oedd y ferch yn y carped, a dyma'r tro cyntaf i'r dulliau hyn gael eu defnyddio fel tystiolaeth mewn llys barn.

Dyna'r ferch wedi'i henwi. Diflannodd o gartref i bobl ifainc yn 1981.

Ond nawr, erys y cwestiwn: sut cafodd ei diwedd a'i chladdu yn yr ardd?

Gwnaed rhaglen amdani ar y teledu. Cafwyd merch eithaf tebyg iddi i chwarae'i rhan. Dyna hi yn cerdded o gwmpas y ddinas eto, yr het ddyn 'na ar ei phen, yn b'yta tsips yn Caroline Street, yn yfed coffi yn Big Asteys eto.

Dyma sawl oni bai arall, rat-tat – un ar ôl y llall. Oni bai am y rhaglen hon . . . ? Oni bai 'i fod e'n digwydd bod yn gwylio'r rhaglen y noson honno . . . ? Oni bai iddo'i gweld hi yng nghwmni pobl eraill . . . ? Oni bai iddo agor ei geg a gweud 'Ro'n i'n nabod hon'na' . . . ? Oni bai i'r bobl hynny ei annog i gysylltu â'r heddlu . . . ?

Ond felly y bu. Fe gysylltodd â'r heddlu. Hwyrach ei fod e wedi anghofio beth yn union a ddigwyddodd; wedi'r cyfan, dim ond un ar bymtheg oed oedd e ar y pryd ac mae wyth mlynedd yn amser hir. Ond hwyrach doedd e ddim wedi anghofio o gwbl a bod y gyfrinach wedi bod yn faich ar ei gydwybod yr holl amser 'na. Beth bynnag, bob yn dipyn bach, rhoes yr holl wybodaeth yr oedd ar yr heddlu eu hangen. Gan gynnwys enw arall.

Hwn oedd yr un a ddywedasai na fyddai neb yn meddwl palu dan y concrid 'na, byth bythoedd. Hwn oedd yr un a ddywedasai wrtho i beidio ag agor ei geg neu buasai fe'n ei gladdu ef hefyd. Dywedasai wrtho i beidio â chroesi'i lwybr byth eto. Roedd y llanc yn ei ofni; roedd ganddo reswm i'w ofni – on'd oedd e wedi'i weld e'n tagu

13

merch a chladdu'i chorff?

Rhwng darganfod y sgerbwd yn y carped ac arestio'r ddau, bu un wythnos ar ddeg – wedi wyth mlynedd o aros a disgwyl o dan y concrid.

Yn un o'r papurau a gyhoeddwyd yn ystod wythnosau ymchwil yr heddlu ymddangosodd erthygl dan y pennawd:

Lost Teenagers at Risk on our Streets

Y Corff yn y Parc

Noson yn Ebrill 1948, ac yn Glan Road, Trecynon, Aberdâr, mae rhai o'r trigolion yn y tai teras bach, cul, yn paratoi am noswaith gyfforddus yng nghwmni'r radio. Ar y Welsh Home Service am ddeng munud wedi chwech ceid y newyddion o Gymru (ni fyddant yn cyfeirio at le mor ddigyffro ag Aberdâr ond unwaith yn y pedwar amser). Ceid y newyddion yn Gymraeg am hanner awr wedi chwech, ac yn 1948 nid oedd y gynulleidfa o wrandawyr yn y cwm yn ansylweddol. Wedyn, *Llafar Gwerin*, unig raglen Gymraeg y noson am chwarter wedi saith. *The Brains Trust* am hanner awr wedi wyth. Drama, *The Hidden Years,* am chwarter wedi naw. Ar *The Light Programme* dechreuodd *La Bohème* am hanner awr wedi saith a gorffen am hanner awr wedi naw. Ac ar y *Third Programme* am chwarter i naw ceid rhaglen yn dwyn y teitl *Imaginary Conversations*.

Rywbryd yn ystod y rhaglenni hyn, dros y ffordd ym mharc prydferth Aberdâr, dim ond mater o lathenni i ffwrdd o'r tai, mae dau ddyn yn cwrdd, wedi trefnu i gyfarfod yno, yn ôl pob tebyg. Amser hwyr i gywiro oed yn y parc gan fod y clwydi i fod i gael eu cloi cyn bo hir. Gŵr o Wlad Pwyl, dyn o'r enw Jerzsy Strzadala yw'r naill; nid yw enw'r llall yn hysbys.

Rhaid bod y rhaglenni yn hynod o ddiddorol a sŵn y radio yn uchel yn Glan Road y noson honno, oherwydd ni chlywodd neb mo Jerzsy Strzadala yn ymladd am ei anadl, yn ymladd am eiriau wrth ymgiprys â'r llall pan ymosododd hwnnw arno. Ni chlywodd neb mohono'n ymladd am ei fywyd. Rhaid ei fod wedi llwyddo i wneud rhyw sŵn; rhaid ei fod wedi griddfan yn ei gystudd olaf; rhaid ei fod wedi erfyn yn ei galon am gymorth, a gweddïo hefyd yn ei eiliadau olaf am achubiaeth ac yntau'n ddyn crefyddol. Hwyrach fod Duw wedi bod yn gwrando ar ryw raglen hefyd y noson honno (ar A.J. Ayer neu Marghanita Laski yn gwadu Ei fodolaeth ar *The Brains Trust*, efallai), oherwydd ni ddaeth neb i achub Jerzsy Strzadala. Ond roedd y sêr, y nefoedd, y duwiau neu'r Diafol ar ochr y dyn arall, pwy bynnag oedd hwnnw, oblegid ar ôl y llofruddiaeth daeth y glaw.

Gallasai'r corff fod wedi gorwedd heb ei ganfod yn y prysglwyni am ddyddiau, efallai, cyn i neb wynto marwolaeth, mor dew a thrwchus oedd y coed a'r perthi rhododendron yn y parc y pryd hynny, a chan fod ffens weiren yn amgylchynu'r planhigfeydd, go brin y byddai neb yn debygol o'u tramwyo. Nid lle i fynd am dro iddo oedd y llwyni; nid oedd digon o le ynddynt i oedolion gerdded yn gyfforddus.

Ond i fechgyn yr oes honno roedd y planhigfeydd yn demtasiwn barhaus – lle i gael anturiaethau, lle i guddio, i chwarae mig a dychmygu dryswigoedd, gwledydd a bydoedd dieithr, anifeiliaid ac anghenfilod arswydus. Lle hefyd i chwilio am wyau adar.

Dydd Mawrth, Ebrill 20, 1948. Aeth criw o fechgyn i barc Aberdâr yn lle mynd i'r ysgol ramadeg a wynebai'r parc. Aethant i'r prysglwyn wrth ymyl clwyd Glan Road (digon pell o olwg yr ysgol). William Davies, Glanville Davies, Charley Edwards, Jimmy Thomas – a bechgyn eraill nas enwyd wedyn. Deuddeg oed oedd y mitswyr hyn a chafwyd amrywiaeth o storïau ganddynt. Yn ôl un fersiwn gwelsant aderyn cloff ac aethant i mewn i'r perthi i'w achub. Mewn fersiwn arall, un gonestach o lawer, roedden nhw'n dringo'r coed i chwilio am wyau. Yna, yn ôl stori'r papurau, gwelodd y bechgyn ddyn yn gorwedd yn y llwyn 'â gwaed ar ei ben'. Hanner canrif ar ôl y darganfyddiad erchyll mae Jimmy'n cofio'r clwyf o glust i glust yng ngwddwg y corff a'r esgidiau brown am y traed.

Rhedodd y bechgyn dros y ffordd at y tŷ agosaf yn Glan Road a chael ateb gan Mrs Rachel Ann Williams. Daeth hi i'r parc gyda'r bechgyn wedi'u dychryn – eithr aeth hi ddim i mewn i'r perthi, aeth hi ddim dros y ffens. Edrychodd lle'r oedd y bechgyn yn dangos. Trwy'r dail a'r canghennau gallai weld pen dyn marw. Bu bron iddi lewygu; doedd hi erioed wedi gweld peth mor erchyll yn ei byw. Gwelsai ddynion yn dod o'r pyllau glo gydag anafiadau difrifol, gwelsai feirwon – yn wir bu farw ei gŵr yn ei breichiau yn ddiweddar – ond roedd natur y farwolaeth hon yn wahanol.

Galwodd Mrs Williams ar ddau ddyn a oedd yn gweithio yn y parc ar y pryd, sef Edgar Price a Jim McCarthey (er nad oedd hwnnw yn llawn llathen). Wedyn galwyd am yr heddlu.

Ni chafwyd trafferth i adnabod y dyn marw gan fod dogfennau ar ei gorff. Roedd y cofiant byr a ddatgelwyd wedyn yn un trist a llawn anlwc. Cawsai ei dad ei ladd mewn damwain. Saer olwynion yn Zabrze, Gwlad Pwyl, oedd Jerzsy Strzadala, nes iddo gael ei orfodi, fel llawer o'i gydwladwyr, i ymuno â Byddin yr Almaen i ymladd yn erbyn y Cynghreiriaid. Fe'i daliwyd a'i gymryd yn garcharor rhyfel gan Brydain yn 1944. Fe'i rhyddhawyd ar derfyn y rhyfel i fynd i wersyll yn Westmorland ar gyfer ffoaduriaid digartref. Fe'i symudwyd i Kinross yn yr Alban ar Orffennaf y 26ain y flwyddyn honno, ac ym mis Rhagfyr fe'i penodwyd yn gynorthwyydd meddygol. Ym mis Rhagfyr 1946 ymunodd â'r Corfflu Ailgartrefu Pwyliaid. Gwasanaethodd gyda'r corfflu hwn tan fis Mehefin 1947 pan aeth i'r ganolfan hyfforddi glowyr yn Oakdale. Yn hytrach na cheisio dychwelyd at wlad a oedd wedi dianc o grafangau'r Natsïaid dim ond i'w chael ei hun dan bawen haearnaidd y Comiwnyddion, gadawodd Strzadala Oakdale gyda'r gobaith o gael gwaith ac ymgartrefu ym Mhrydain, er gwaethaf ei hiraeth am ei famwlad yn gyffredinol a'i fam weddw yn benodol. Daeth yng nghwmni o leiaf ddau gydwladwr arall o Oakdale i Neuadd Breswyl y Glowyr ar Hirwaun ym mis Gorffennaf 1947. Derbyniodd Strzadala waith ym mhwll glo Tirherbert.

Y noson cyn iddo gael ei ladd dathlodd Jerzsy Strzadala ei ben-blwydd yn dair ar ddeg ar hugain oed. Ond pwy oedd yno i ddathlu'r achlysur gydag ef? A gafodd unrhyw anrhegion neu gardiau? Go brin. Fe'i disgrifiwyd gan yr ychydig bobl a ddaethai i'w adnabod yn ystod yr ychydig fisoedd y bu yn Aberdâr fel dyn unig, tipyn o ar-ei-ben-ei-hunwr. Roedd yn grefyddol, meddid, roedd yn Babydd o'i fagwraeth. Mewn disgrifiadau ohono pwysleisir ei arwahanrwydd, ei ddieithrwch. Fe'i gwelwyd yn cerdded, noson ei ben-blwydd, y noson cyn ei farwolaeth, yn y parc – ar ei ben ei hun. Yn ôl ei gyd-wladwr a'i gyd-letywr yn y neuadd breswyl, Leopole Kosmala, nid oedd Strzadala yn boblogaidd; roedd yn ddewisach ganddo ddarllen yn ei stafell neu fynd am dro ei hunan nag ymuno â thrigolion eraill y neuadd. Neidia'i gymeriad allan o eiriau a ddywedwyd amdano ar ôl y trychineb. Dro ar ôl tro pwysleisir dwy o'i nodweddion: ei hoffter o ddillad da, a'r ffaith nad oedd byth i'w weld yng nghwmni merched. Ac eto, roedd yn ddyn dymunol a chydwybodol, hapus ei ymarweddiad, parod ei wên, boneddigaidd, cwrtais, hynaws ymhlith ei gydweithwyr. Hyd y gwyddai neb, doedd ganddo ddim gelynion.

Hyd y gwyddai neb – ond ni wyddai neb fawr ddim amdano.

Richard Hill oedd ei *butty*. Ond ystyr *butty* yn y cyd-destun hwn yw 'cyd-weithiwr, partner yn y lofa' ac nid 'cyfaill mynwesol'. Dywedodd Dic Cahill amdano: 'Roedd ei fryd i gyd ar ei gartref yng Ngwlad Pwyl, ond am ei fam yn unig y byddai e'n sôn. Siaradai amdani yn aml, dan deimlad.'

19

Roedd Cahill yn un a sylwasai fod Strzadala yn eithriadol o hoff o ddillad o safon uchel. Âi i Gaerdydd ac Abertawe i'w prynu ac roedd yn hoff o'r pethau gorau. Gellid dychmygu'r hwyl a geid am ben y Pwyliad gan ei gyd-lowyr ar gorn y gorhoffter hwn. Fe'i cyfrifid braidd yn fursennaidd.

Yn fuan ar ôl darganfod y corff dywedodd un o dafarnwyr Hirwaun stori ddiddorol. Cofiai Strzadala yn dod o'r neuadd breswyl gyfagos yng nghwmni criw o'i gyd-weithwyr a hwythau'n yfed cwrw a Strzadala yn yfed dim ond *lemonade*. Gan fod gan y Pwyliaid enw tebyg i'r Albanwyr a'r Cymry am fod yn yfwyr mawr, gwelir yma unigolyddiaeth Jerzsy Strzadala, ei benderfyniad i sefyll ar wahân ac i beidio â chael ei orfodi i ddilyn y dorf. Efallai nad oedd ond llwyrymwrthodwr ar egwyddor, ond gwnaeth ei gyd-weithwyr a'i gyd-letywyr hwyl ddidrugaredd am ei ben a'i alw'n ferchetaidd am wrthod yfed dim byd cryfach na *lemonade*.

Un o'r rhai olaf i'w weld, dyn a gawsai'i holi'n hir a thrwyadl gan yr heddlu, oedd William Cable a gadwai siop bapurau yn nhref Aberdâr. Dyn bach penfoel â dwylo meddal oedd Mr Cable a soniodd yntau am daclusrwydd gwisg Strzadala, am ei gwrteisi – ymwelai â'r siop yn aml – ac edmygodd rugledd Saesneg y Pwyliad. Ac wrth iddo ddisgrifio'i bersonoliaeth, dywedodd Mr Cable fod ganddo 'love disposition'.

Cyn darganfyddiad y corff yn y parc, cariai tudalennau blaen yr *Aberdare Leader* storïau megis 'Water From Fire Hydrant Froze', 'Sheep Menace to Cemetery Flowers', 'Cwmaman Girl's Fatal Burns in Canada', a hunanladdiad ar ôl hunanladdiad (ymgrogi oedd y dull mwyaf cyffredin). Yn y cyfnod yn syth ar ôl y rhyfel, digon moel oedd y newyddion lleol. Yna, ar Ebrill 24, 1948, ceir yr is-stori ochelgar hon: 'Was Pole, dead in Park, attacked? Police Investigations'. Doedd yr holl fanylion erchyll ddim ar gael i'r cyhoedd eto. Ond erbyn y rhifyn nesaf (Mai 1, 1948) aeth y stori â'r tudalen blaen i gyd a bu'n rhaid symud hysbyseb arferol Messrs Hodges o'i leoliad rheolaidd i dudalen 5. Dan benawdau fel clais ar draws yr wynebddalen gwelid llun o Strzadala – hen lun ohono yn ei lencyndod ac nid un o ddyn yn ei dridegau cynnar – wyneb clir, digon golygus, gwallt golau wedi'i gribo'n ôl yn daclus dan haenen o frilcrim, llygaid glas breuddwydiol, pell-i-ffwrdd, rhywbeth tyner, synhwyrus, pwdlyd braidd, o gwmpas y geg. Yn rhannu'r un tudalen â wyneb y dieithryn yr oedd lluniau o'r parc cyfarwydd, llun o leoliad y corff yn y perthi (heb y corff), a llun o Robert H. Fabian o Scotland Yard – y ditectif (adnabyddus yn ei ddydd) a oedd i arwain yr ymchwiliad. Ni fu heddlu Aberdâr yn hwyrfrydig yn cysylltu â'r Yard.

Pan gynhaliwyd cwest i farwolaeth y Pwyliad yn Llys yr Heddlu, ychydig iawn o gyhoedd y cylch a ddaeth i glywed hanes drama oriau olaf ei fywyd. Mae'r ffaith hon yn dweud llawer am agwedd trigolion Cwm Cynon tuag at yr anfadwaith. Cawsai dyn ei ladd, roedd ei ddienyddiwr yn rhydd o hyd – ond ni theimlai neb fod angen poeni; estronwr ydoedd ac estronwr, mwy na thebyg, oedd y llofrudd. Rhyngddyn nhw a'u cawl.

Yn unol â'i ddyletswydd roedd Fabian yno â'i gyd-weithwyr.

Richard Cahill, naw ar hugain oed o Hirwaun, oedd y tyst cyntaf. Dywedodd ei fod yn nabod Jerzsy Strzadala yn dda am ei fod wedi bod yn gweithio gydag ef yng nglofa Tirherbert, Rhigos, ers chwe neu saith mis. Fe'i hadnabyddai wrth yr enw 'George'. Ni allai ynganu ei enw iawn.

Crwner: 'Oeddech chi'n gweithio tyrnau dydd ynteu tyrnau prynhawn?'

'Am yn ail – bob yn ail wythnos.'

Wythnos y llofruddiaeth buont ar dyrn dydd yn gorffen am hanner awr wedi dau, meddai Cahill. Gadawsant y gwaith gyda'i gilydd ac aeth Strzadala oddi ar y bws wrth Neuadd Breswyl y Glowyr am chwarter i dri, fel arfer. Dyna'r tro olaf iddo weld ei gyd-weithiwr yn fyw.

Ychwanegodd Cahill fod Strzadala yn weithiwr da iawn ac yn ddyn tawel a hynod o swil. Ond ni allai ddweud a oedd ganddo unrhyw gyfeillion agos neu beidio.

Datguddia'r diffyg gwybodaeth hwn lawer am natur perthynas Cahill a'i *butty* o wlad dramor. Cyd-weithwyr oeddent yn hytrach na ffrindiau.

'Hyd y galla' i weud, fydde fe byth yn smygu nac yn yfed,' ychwanegodd Cahill.

Crwner: 'Hyd y gwyddoch chi a oedd ganddo unrhyw elynion?'

'Nac oedd.'

Mae cwestiwn nesaf y crwner a'r ateb iddo, eto, yn mynegi'r diffyg cyfathrach gymdeithasol rhwng y ddau löwr ac arwahanrwydd Strzadala.

Crwner: 'A ddywedodd wrthoch chi i ble'r oedd o'n mynd y noson honno?'

'Naddo.'

Crwner: 'A wnaethoch chi sylwi ar unrhyw beth anghyffredin ynglŷn â Strzadala y diwrnod hwnnw?'

'Naddo, syr.'

Dywedodd Arthur Edwards Davies, rheolwr Neuadd Breswyl y Glowyr, iddo weld y corff yn yr ysbyty am bedwar o'r gloch y prynhawn ar Ebrill 21ain, pan gynhaliwyd y cwest. Yn y gwrandawiad blaenorol hwnnw dywedasai Davies na allai fod yn hollol bendant pryd y gwelsai Strzadala'r tro diwethaf, ond y tro hwn dywedodd ei fod yn bendant bellach iddo'i weld nos Lun (noson y llofruddiaeth) o gwmpas pump o'r gloch. Roedd Strzadala yn gadael y neuadd, ar ei ffordd i ddal bws.

Ychwanegodd y tyst fod Strzadala yn ŵr encilgar, cwrtais ac yn eithriadol o gymen o ran ei wisg. Dyn detholgar, ar ei ben ei hun ran fynychaf.

Glöwr pedair ar bymtheg oed o Wlad Pwyl yn wreiddiol, cyflogedig gan lofa Glyncastell, Resolfen, oedd Leopole Kosmala. Dywedodd iddo gwrdd â Strzadala wrth safle bysiau'r Cyngor yn Hirwaun. Roedd Strzadala yno o'i flaen a dywedodd wrtho ei fod wedi colli'r bws. Yna, croesodd y ddau yr heol i ddal bws Cwmni Coch a Gwyn wrth dafarn y Globe. Eisteddodd y ddau gyda'i gilydd yn y bws.

Gwelodd Kosmala Jerzsy Strzadala yn cymryd papur punt o'i waled. Daliodd y bunt yn y naill law a'r waled yn y llall. Pam, tybed, y sylwodd Kosmala ar y symudiadau bach dibwys hyn?

Gofynnodd Strzadala i Kosmala a allai newid y papur punt. Atebodd Kosmala na allai, ond yn lle hynny benthycodd hanner coron iddo i'w alluogi i dalu am y siwrnai heb newid y bunt.

Ar ôl talu rhoes Strzadala 2/2 yn ôl iddo gan ddweud y byddai'n talu'r pedair ceiniog arall yn nes ymlaen.

Crwner: 'A fu unrhyw ymddiddan rhyngoch chi yn y bws ar y ffordd lawr?'

'Naddo, syr.'

Yma, eto, rydyn ni'n gweld peth o gymeriad Strzadala. Doedd ganddo ddim dawn at fân siarad, hyd yn oed yn ei famiaith gyda'i gyd-wladwyr. Ai swildod oedd i'w gyfrif am y tawedogrwydd hwn?

Neu, ynteu na chredai fod unrhyw beth o werth ganddo i'w ddweud? Hwyrach nad oedd dim llawer yn gyffredin rhwng Kosmala ac ef.

Dywedodd Kosmala fod tri dyn arall o'r neuadd ar y bws ar y pryd. Aeth Strzadala i lawr ar bwys sinema y Rex (sydd wedi cael ei ddymchwel yn ddiweddar a maes parcio wedi'i roi yn ei le) ac aeth i gyfeiriad swyddfa'r post, gyferbyn.

Crwner: 'A ddywedodd unrhyw beth wrthoch wrth ymadael â chi?'

'Naddo, syr.'

Mae'r prinder geiriau hyn yn drawiadol, yn enwedig am un y dywedid ei fod yn gwrtais. Dim o'r cyfarchion arferol, 'Hwyl fawr', 'Noswaith dda', 'Da bo'ch', beth bynnag sy'n cyfateb i'r dywediadau cyffredin hyn yn y Bwyleg, dim gair.

Aeth y dynion eraill a ddaethai o Neuadd y Glowyr o'r bws yn syth i'r Rex. Ar ôl iddo brynu bocs o ddêts aeth Kosmala yntau i'r sinema.

Yn y Rex y noson honno y brif ffilm oedd *Fiesta* gyda'r nofwraig osgeiddig Esther Williams yn serennu wrth ochr Ricardo Montalban (a aeth ymlaen i wneud y gyfres deledu boblogaidd *Fantasy Island*). Roedd yna ddigon o ddewis o ffilmiau yn y dref y pryd hynny i gystadlu â rhaglenni'r radio yn y cyfnod hwnnw ychydig cyn dyfodiad y teledu. Yn yr Aberdare Cinema (nad yw'n bod bellach) roedd *Fun and Fancy Free* yn cael ei dangos gyda Dinah Shore. Ac yn sinema'r Parc (sy'n gwerthu teiars nawr) – dros y ffordd i leoliad y llofruddiaeth – roedd *Wake Up and Dream* i'w gweld gyda John Payne a June Haver (ffilm anghofiedig).

Ond ar ei ffordd i'r Rex, wedi prynu'i ddêts, cyfarfu Kosmala â Strzadala unwaith eto. Y tro hwn dywedodd 'Dyma chi. Dyma'ch pedair ceiniog chi'. Dyma'r tro cyntaf i eiriau Strzadala gael eu dyfynnu yn uniongyrchol. Geiriau syml, ymadroddion pwrpasol, digwafers, yn siarad allan o'r distawrwydd. Mae'n debyg mai cyfieithiad o'r Bwyleg, mewn gwirionedd, oedd y geiriau hyn. Gallai aelodau'r gymuned o alltudion o Wlad Pwyl siarad eu mamiaith fel hyn ar strydoedd Aberdâr y pryd hynny heb dynnu fawr o sylw.

Gofynnodd Strzadala i Kosmala ble'r oedd e'n mynd, ac atebodd ei fod ar ei ffordd i'r Rex, ac yn ei dro gofynnodd Kosmala ble'r oedd Strzadala'n mynd. Atebodd 'Wn i ddim eto'. Wyddai e ddim ei fod yn mynd i gwrdd ag Angau, mae cymaint â hynny yn amlwg; doedd dim nerfusrwydd i'w weld ynghylch ei ymddygiad – ond mae dyn yn gallu cuddio ofn. Fel y cawn weld, mae lle i gredu y gwyddai 'i fod yn mynd i gwrdd â rhywun ac mae'n arwyddocaol na soniodd am ei drefniadau wrth ei gyd-wladwr ifanc.

Sylwodd Kosmala fod gan Strzadala amlen gofrestredig yn ei law – dyna sut y cawsai'r newid i dalu ei ddyled i Kosmala, yn swyddfa'r post, gellir tybio. Gadawodd Kosmala Jerzsy Strzadala yn sefyll ar ei ben ei hun y tu allan i'r sinema. Dywedodd wrth y crwner fod Strzadala yn ymddangos yn 'eithaf normal'.

Gofynnodd y crwner a oedd Kosmala wedi gwahodd Strzadala i'r sinema neu a oedd e wedi cynnig dod gydag ef. Atebodd Kosmala ei fod yn disgwyl iddo fynd yn ôl i'r neuadd breswyl. 'Roedd e'n arfer aros yna'n darllen. Wyddwn i ddim am neb fuasai'n dymuno drwg iddo fe.'

Yna, yn syfrdanol braidd, ychwanegodd Kosmala nad oedd Strzadala yn boblogaidd iawn yn Neuadd Breswyl y Glowyr am ei fod mor hoff o'i gwmni'i hun. Mae'r farn hon yn wahanol i bron bob un arall. Mae'r lleill yn darlunio arwahanrwydd Strzadala fel peth diniwed ond yma cawn yr awgrym efallai fod rhai yn credu'i fod yn 'meddwl ei hun', ys dywedir. Mae'n glir hefyd nad oedd Kosmala yn arbennig o awyddus i gadw ei gwmni y noson honno.

Dywedodd Kosmala hefyd fod Strzadala yn ofalus gyda'i arian, ac yn y ffordd y talodd ei ddyledion bach yn ôl yn syth i Kosmala gwelwn ei fod yn gydwybodol tu hwnt.

'Roedd y tri dyn, a ddaethai i lawr (i'r dref) ar yr un bws â Strzadala a finnau, yn y neuadd yn barod pan es i yn ôl,' meddai Kosmala.

Crwner: 'Allwch chi ddweud sut yr arferai Strzadala dreulio'i nosweithiau?'

'Gartre yn y neuadd. Âi am dro yn aml, cyn neu ar ôl swper, yn yr ardal o gwmpas y neuadd.'

I ble tybed? Ac a gyfarfu â rhywun neu rywrai wrth fynd am dro heb ei gyd-wladwyr a'i gyd-letywyr a'i gyd-weithwyr? A ffurfiasai unrhyw gysylltiad neu gylch o gysylltiadau cymdeithasol y tu allan i gyfyngiadau ei waith a'i lety?

Aeth Strzadala i siop bapurau William Cable yn Stryd Canon, Aberdâr, rhwng chwech a hanner awr wedi chwech ar noson y digwyddiad. Roedd e ar ei ben ei hun.

Dangoswyd swpyn o bapur llwyd i Mr Cable a alwodd i gof iddo ei werthu i Strzadala ar y noson dyngedfennol.

'Dwi'n ei gofio achos fe glymais y papur fy hunan,' meddai Mr Cable, a dywedodd hefyd fod Strzadala wedi cerdded i mewn i'r siop y noson honno fel y gwnaethai sawl tro o'r blaen.

Dywedodd Witold Ranachowski, tair ar hugain oed, o Stryd Gloucester, Aberdâr, glöwr cynorthwyol ym mhwll Aberaman (nad yw'n bod bellach), iddo ddod i Aberdâr o Oakdale ar yr un pryd â Strzadala, ac aeth i fyw yn Neuadd Breswyl y Glowyr, Hirwaun, lle yr arhosodd tan fis Hydref pan aeth i Stryd Gloucester i fyw.

Yn y Palladium y noson honno roedd dewis o ddwy ffilm, sef *Thunder Rock* gyda Michael Redgrave, neu/ac *One Wild Night* gyda June Lang. Ond doedd gan Strzadala ddim diddordeb mewn ffilmiau. Yn rhannol, efallai, oherwydd nad oedd yn gallu dilyn eu Saesneg cyflym, yn rhannol am ei fod yn ddarbodus, yn bennaf am fod ganddo drefniadau eraill gogyfer â'r noson honno.

Dangosodd Strzadala ddiddordeb cyfeillgar ym mywyd carwriaethol Ranachowski pan ofynnodd iddo a oedd e'n mynd i gwrdd â'i gariadferch.

'Pa un?' atebodd Ranachowski, gan ddangos hiwmor neu ddiffyg hiwmor y Pwyliaid – mae'n anodd dal tôn y geiriau yng nghofnodion moel, gwrthrychol y cwest. Mae'r un peth yn wir am ateb Jerzsy Strzadala. 'Yr un dal, dywyll,' meddai, gosodiad a all fod yn ffraeth neu'n hollol ddi-liw. Beth bynnag, tybiai Ranachowski mai cyfeirio roedd Strzadala at ferch a welsai yn ei gwmni ambell waith. Sylwodd Ranachowski fod Strzadala yn cerdded yn araf a bod swpyn o bapur llwyd o dan ei fraich chwith.

Gwelodd Ranachowski ef yn nes ymlaen eto ger safle'r bws i Gwmaman ar bwys y Palladium. Siaradodd ag ef a gofyn a oedd e'n mynd yn ôl mor gynnar. 'Ydw,' atebodd Ranachowski ac aeth i siop gerllaw am gylchgrawn (siop Cable, efallai) ond methu cael un. Pan ddaeth Ranachowski allan o'r siop ni welodd Strzadala.

Dywedodd Ranachowski wrth y crwner nad oedd yn nabod Strzadala yn dda iawn. Roedd e'n ddyn tawel iawn, meddai, ac nid oedd yn gwybod a oedd ganddo unrhyw gariadferched neu beidio.

Unwaith eto yma gwelir anhawster Strzadala i gyfeillachu. Er iddo gwrdd â Ranachowski yn Oakdale a dod i Aberdâr ar yr un pryd ag ef a lletya yn y neuadd breswyl, ac er eu bod yn dod o'r un wlad, yn siarad yr un iaith, nid oedd unrhyw gyfeillgarwch rhyngddynt. Wrth gwrs, rhaid cofio bod tipyn o wahaniaeth oedran rhwng y ddau, deng mlynedd i fod yn fanwl. Ai ymgais i fod yn ewythraidd oedd wrth wraidd cwestiynau Strzadala ynglŷn â chariadferch Ranachowski? Rhyw ymhŵedd arwynebol. Neu, ynteu, ystryw i lywio'r sgwrs rhag i Ranachowski holi gormod am ei drefniadau ei hunan y noson honno?

Gadawodd Ranachowski dref Aberdâr y noson honno i fynd i weithio ym mhwll glo Ameraman.

Roedd Beryl May Pooley o Gwmaman yn ysgrifenyddes yn ffatri glociau *Elco*, Hirwaun. Gwelodd Strzadala yn Stryd Canon pan oedd hithau'n sefyll y tu allan i'r Empire Ballroom (pencadlys y Torïaid bellach) am chwarter wedi chwech.

'Gwelais Strzadala yn sefyll ar ochr arall y ffordd. Roedd ei wyneb yn gyfarwydd ond wnes i mo'i gyfarch achos doeddwn i ddim yn ei nabod.'

Mewn ateb i'r crwner dywedodd Pooley na wyddai taw Strzadala oedd e hyd nes iddi weld lluniau ohono yn y papur ar ôl darganfyddiad y corff.

Roedd e'n sefyll y tu allan i'r caffe gyferbyn â'r Empire Ballroom ac o dan ei fraich dde (y tro hwn) roedd pecyn o bapur llwyd hollbresennol.

'Roedd e'n sefyll gyferbyn â mi a theimlwn yn chwithig a dechrau cerdded lan a lawr wrth aros am y bws,' meddai. 'Roedd e'n edrych yn ddiamynedd, fel petai rhywun roedd yntau'n ei ddisgwyl ddim wedi dod i'w gyfarfod. Dyna'r argraff ges i.'

Dywedodd Miss Pooley fod Strzadala wedi sefyll y tu allan i'r Corner Café (bwyty Indiaidd yn awr) o 6.15 tan 6.40.

Roedd Joseph Knibbs, o Drecynon, yn nabod Strzadala gan ei fod yn gweithio yn yr un pwll glo ag ef, sef Tirherbert. Aethai Knibbs i'r parc noson y llofruddiaeth tua hanner awr wedi chwech. Roedd tri o blant gydag ef. Ar ôl mynd i'r parc trwy'r clwydi uchaf (Park Lane, Trecynon) aethant i lawr at y llyn er mwyn i'r plant gael dal pysgod a grifft.

'Ar ôl inni fod yno am ryw awr, dechrau'r ffordd sha thre hyd y llwybr at y clwydi canol wnes i. Yna cerddais ychydig o lathenni ar hyd yr heol i gyfeiriad y clwydi ucha a gwelais Strzadala o'm blaen i. Dim ond ychydig o lathenni o flaen y pram oedd e. Ar ei ben ei hun oedd e ac roedd e'n cario pecyn o bapur llwyd dan ei fraich. 'Nath e ddim siarad â mi.'

Yma, unwaith yn rhagor, rhaid sylwi ar dawedogrwydd hynod o anghymdeithasol Strzadala.

Yna ychwanegodd Knibbs fod Strzadala wedi cerdded yn hamddenol tuag at ddyn a ymddangosai fel petai'n ei ddisgwyl ar y borfa, ychydig i ffwrdd o'r llwybr ar bwys yr hen bwll uchaf. Aeth Strzadala ato a dechreuasant siarad mewn iaith estron. Amcanodd Knibbs fod oedran y dyn hwn rhwng 24 a 26. Roedd yn fyr, cydnerth, gwallt tywyll wedi'i gribo'n ôl gyda *brilliantine*.

'Roedd e'n gwisgo siwt las tywyll, â streipen ynddi. Buaswn i'n ei nabod yn unrhyw le,' meddai Knibbs.

Dywedodd wrth y crwner fod sgwrs y ddau ddyn yn gyfeillgar. Dyna'r tro olaf i Knibbs weld Strzadala – yn siarad â'r dyn hwn. Doedd e ddim wedi gweld y dyn o'r blaen.

Ychydig o bobl oedd yn y parc ar y pryd. Doedd hi ddim yn hwyrach nag wyth o'r gloch eto. Dros y ffordd yn Glan Road mae pobl yn gwrando ar *Open House* yn dechrau ar y *Welsh Home Service*, diwedd cyflwyniad Spike Hughes i *La Bohème* ar y *Light Programme*, a'r *Philharmonia Orchestra* ar y drydedd.

Fel rheol byddai'r parc yn cael ei glirio am naw o'r gloch ym mis Ebrill.

Rhaid inni ddamcaniaethu ynglŷn â symudiadau Strzadala yn ystod yr awr ar ôl i Knibbs ei weld gyda'r dieithryn ac amser cau'r clwydi. Ai'r llofrudd oedd y dyn dieithr? Ni chafwyd neb a oedd yn cyfateb i'r disgrifiad ohono. Ar y llaw arall, hyd y gwelaf i, ni ddefnyddiodd yr heddlu lun identicit ohono; yn sicr ni chyhoeddwyd llun felly yn y papurau lleol. Ni ddaeth neb ymlaen i ddweud iddo gael sgwrs ddiniwed yn y parc gyda Strzadala ar ôl i Knibbs ei weld e. Os oedd tystiolaeth Knibbs yn ddibynadwy, mae'n debyg mai'r dyn hwn laddodd Strzadala. Ac eto mae'n eithaf dichonadwy taw un o gyd-wladwyr alltud diddrwg Strzadala oedd hwn, wedi'i gyfarch yn y parc a'i adael a bod rhywun arall wedi cwrdd ag ef wedyn. Mae amharodrwydd y diniweityn damcaniaethol hwn i'w gyflwyno ei hunan i'r heddlu yn ddigon dealladwy. Ond mae'r ffaith mai dim ond Joseph Knibbs a'i gwelodd yn beth rhyfedd iawn. Sut allai'r dyn hwn symud drwy'r dref i'r parc a thrwy'r parc wedyn heb i neb sylwi arno yn ei siwt â streipen ynddi a'i wallt slic? Ond o'r hyn a wyddom am Strzadala – a derbyn gair Knibbs – yr oedd y dyn hwn yn arwyddocaol am ei fod fel petai'n disgwyl Strzadala.

Rhaid i un o ddau beth ddigwydd rhwng y ddau cyn i'r parcipar ddod o gwmpas i wagio'r parc cyn cau'r clwydi. Rhaid iddynt gydsynio i guddio gyda'i gilydd yn y llwyni yn y parc, neu mae'n rhaid i Strzadala gael ei gadw yn y parc yn erbyn ei ewyllys. Mae'r ail ddewis yn cynnwys y posibilrwydd fod Strzadala wedi cael ei ladd cyn i'r clwydi gau.

Dywedodd y patholegydd, Dr Freezer, fod Strzadala wedi gwneud ymgais lew i'w amddiffyn ei hun. Fel un a fu'n saer olwynion yn ei famwlad, yn filwr, yn garcharor rhyfel ac yn löwr, doedd e ddim yn ddyn gwan, felly buasai'n anodd i'w orfodi yn gorfforol i wneud dim yn groes i'w wirfodd. Ni chafwyd unrhyw dystiolaeth iddo gael ei drywanu ond yn y perthi. Felly, dim ond y dewis cyntaf sy'n gredadwy; rhaid bod Strzadala a'i lofrudd wedi mynd i'r perthi gyda'i gilydd drwy gydsyniad.

Ceir ystyriaeth o oblygiadau'r ddamcaniaeth hon yn yr *Aberdare Leader*, yn un o'r erthyglau cynnar:

Gellir cynnig sawl esboniad plaen i gyfri am bresenoldeb Strzadala ac eraill yn y rhan ddiarffordd hon o'r parc yn y diwetydd ychydig cyn cau'r clwydi am y noson. Mae'n dro dymunol i'w gerdded o'r llwyn ar hyd y llwybr tawel yn ymyl y prysglwyn gyferbyn â'r lawnt fowlio a'r pwll nofio. Gellid ei ddeall am gytuno i fynd am dro ar hyd y ffordd hon cyn gadael drwy glwyd Glan Road.

Mae'n hawdd dychmygu hefyd pam y buasai wedi mynd i'r llwyni am resymau digon naturiol, naill ai ar ben ei hun neu mewn cwmni.

Nid oes awgrym, fel yr ydym yn cael ar ddeall, fod Strzadala wedi aros yn y parc liw nos am unrhyw reswm amheus.

Ond rhaid darllen rhwng y llinellau hyn yn ofalus. Ni fuasai'n gwneud synnwyr i Strzadala fynd am dro i gyfeiriad clwyd Glan Road yr adeg honno o'r nos gan fod y bysiau yn ôl i Hirwaun yn mynd heibio i bob un o'r clwydi eraill. Roedd e'n mynd allan o'i ffordd. Ac am ba reswm 'naturiol' y buasai'r ddau ddyn yn mynd i mewn i lwyn trwchus yn hwyr yn y dydd? Yn groes i'r hyn sydd yn y papur, roedd presenoldeb Strzadala a rhywun arall neu rywrai eraill yn y parc mor ddiweddar yn amheus iawn. Buasai unrhyw un didwyll wedi gweld neu wedi clywed y parcipar yn clirio'r parc ac yn cau'r clwydi ac wedi mynd ato cyn cael ei garcharu yno am y noson. Yn un peth roedd yn rhaid croesi'r ffens bostiau a weiar er mwyn mynd i mewn i'r planhigfeydd y pryd hynny; doedd rheolwyr y parc ddim yn cymeradwyo bod cerddwyr yn mynd i'r llwyni. Cyfeiria'r bechgyn a ddaeth o hyd i'r corff at y ffens hon. Ac ymhlith y rhododendrons does dim lle i gerdded yn gyfforddus, beth bynnag. Er bod modd canfod rhesymau hollol ddilys a didramgwydd dros fynd i'r perthi yn hwyr, nid ydynt yn taro deuddeg.

Ond roedd Strzadala naill ai'n farw (neu'n marw) neu'n cuddio gyda rhywun arall yn y perthi pan glowyd y mynedfeydd i'r parc.

Rhaid gofyn hefyd pam yr aeth Strzadala i'r parc yn y lle cyntaf? Mae'n amlwg ei fod wedi mynd i'r dref yn y prynhawn ar ddwy neges: i gael yr amlen gofrestredig ac i gael y papur llwyd. Ni chredid bod amcan ysgeler i'r naill neges na'r llall. Credid yn gyffredinol fod Strzadala yn mynd i anfon arian a llythyr at ei fam yn yr amlen a dillad yn y papur llwyd. Ond yma eto cwyd nifer o gwestiynau. Gwyddys fod rhwng £20 a £30 yn waled Strzadala pan gafodd ei ladd. Pam na wnaeth e brynu archeb bost gyda'r amlen yn swyddfa'r post? A oedd e'n gobeithio ychwanegu at y swm y noson honno ac anfon y cyfan drannoeth? Neu a oedd gan Strzadala bwrpas arall i'r arian? Beth am y papur llwyd? Sylwodd nifer o'r tystion ar hwn. Ac eto nid oedd yr heddlu yn gweld dim byd i'w ddrwgdybio ynglŷn â'r pecyn. Yn lle ei ddefnyddio ar gyfer anfon dillad i Wlad Pwyl, beth petai Strzadala yn disgwyl cael rhywbeth arall i'w lapio yn y papur y noson honno?

Mae lle i gredu bod Strzadala wedi sefyll yn y dref i gwrdd â rhywun rhwng chwech a chwarter i saith. Sylwodd Beryl Pooley ar ei ddiffyg amynedd; nododd Ranachowski ei fod yn cerdded yn araf. Mae'n bosibl fod ei ffrind (os mai ffrind yw'r gair) wedi cywiro'r oed a bod y ddau wedi mynd i'r parc wedyn, ond sylwodd neb arnynt. Ar y llaw arall, gan fod Knibbs wedi gweld Strzadala yn mynd at ddyn arall a bod hwnnw fel petai'n ei ddisgwyl, mae lle i gredu iddo roi'r gorau i aros yn y dref ac iddo gerdded i'r parc ar ei ben ei hun am fod syniad ganddo y byddai'n gweld y dyn yno hyd yn oed os oedd e wedi torri ei air i gwrdd yn y dref. Mewn geiriau eraill, rhaid bod Strzadala wedi gallu darllen meddwl y dyn hwn, mewn ffordd: 'os fydd e ddim yn y dref, byddaf yn siŵr o'i weld yn y parc'. Wrth drefnu'r oed mae'n bosibl eu bod wedi sôn am fynd i'r parc ar ôl cwrdd yn y dref. A oedd y trefniadau yn llac, efallai? 'Cawn ni gwrdd yn y dref, neu'r parc.' A oedd Strzadala wedi deall y cyfeiriadau yn iawn? Mae'n bosibl nad Pwyliad oedd y llall. Clywodd Knibbs 'iaith estron', ond pa iaith? Mae'n fwy na thebyg fod Strzadala yn siarad Almaeneg ac yntau wedi bod yn filwr ym Myddin yr Almaen, ac nid Pwyliaid oedd yr unig estroniaid yn Aberdâr ar ôl y rhyfel; roedd yno ffoaduriaid o'r Almaen hefyd. Mae'n bosibl eto fod Knibbs wedi gwneud camsyniad ac wedi clywed acen estron Strzadala o bell a'i chamgymryd am iaith estron. Hwyrach ei fod ef a'r llall wedi siarad Saesneg, mewn gwirionedd. Ac os oedd Strzadala wedi gwneud trefniadau yn Saesneg i gwrdd â'r dyn hwn, mae'n hawdd derbyn y gallasai fod wedi camddeall y cyfarwyddiadau ychydig – er bod Mr Cable yn canmol Saesneg y Pwyliad.

Mae un peth yn glir: roedd Strzadala yn benderfynol o gwrdd â rhywun. Os y dieithryn a welodd Knibbs yn y parc oedd yr un y bu Strzadala yn ei ddisgwyl yn y dref, yna bu'n chwilio amdano am dros awr. Os hwn oedd y llofrudd, bu'n gall i beidio â mynd i'r dref i gael ei weld yng nghwmni Strzadala. A oedd e wedi meddwl am hynny? Ar wahân i ymddygiad Strzadala yn y dref y mae rhywbeth arall yn awgrymu bod oed wedi'i drefnu rhwng Strzadala a dyn arall: aeth llofrudd Strzadala i'r parc gyda chyllell yn ei boced gyda'r bwriad o fygwth, ymosod neu ladd neu i'w amddiffyn ei hunan.

Wedi dweud hynny nid yw'n sicr fod y dyn hwn wedi'i arfogi'i hunan wrth feddwl am Strzadala yn benodol. Hwyrach fod y llofrudd yn ddim ond gwallgofddyn mympwyol a fuasai wedi ymosod ar unrhyw un. Ond o roi dau a dau at ei gilydd, rydym yn gweld Strzadala yn trefnu cwrdd â'r dyn anhysbys, a bod hwnnw wedi'i arfogi, am ryw reswm, wrth ddisgwyl Strzadala.

Yn awr rydym wedi cyrraedd y pwynt lle na fyddai'n amhriodol inni ddyfalu ynghylch symbyliad y llofruddiaeth. Yn 1948 ni chafwyd fawr o ddamcaniaethau ynglŷn â hynny yn y papurau. Yn 1958, sut bynnag, roedd ychydig mwy o wybodaeth ar gael i'r cyhoedd. Bu Strzadala yn benthyg arian i'w gyd-weithwyr rhwng diwrnodau tâl. A aethai un o'r benthycwyr i ddyled a Strzadala wedi mynnu cael ei arian yn ôl? Yn sicr fe gymerodd y llofrudd holl arian Strzadala o'i waled a'r oriawr arian, ond go brin mai lladrad oedd unig sbardun ymosodiad mor ffyrnig.

Syniad arall a grybwyllwyd yn 1958 oedd fod dial yn symbyliad i'r drosedd. Ond nid ymhelaethir ar y ddamcaniaeth.

Dywed y clwyfau ar gorff Strzadala rywbeth am natur y llofruddiaeth. Fe'u disgrifiwyd yn y cwest gan Dr Freezer. Roedd 44 o glwyfau i gyd; 13 o glwyfau treiddiol (*puncture wounds*) yn wasgaredig ar hyd y corff; 28 o glwyfau llinellol (*linear wounds*) a thri chlwyf yn treiddio'n ddwfn (*deeply penetrating wounds*). Yn naratif yr anafiadau marwol hyn ni cheir stori ymosodiad byrfyfyr, ar hap, eithr nofel ymosodiad ffyrnig, gwyllt ac ymdrech druenus Strzadala i'w amddiffyn ei hunan wrth frwydro am ei fywyd. Ond yn ôl un o'r papurau, mae'n bosibl fod Strzadala wedi cael ei daro a'i dawelu cyn iddo gael cyfle teg i wrthsefyll yr ergydion. Mewn un adroddiad sonnir am glwyf ar y pen, ac mae'r llanciau a ganfu'r corff yn sôn am waed ar y pen; mae llygad-dyst arall yn cofio bod y corn gwddwg wedi ei dorri. Buasai'r anafiadau hyn, pe baent yn dod ar ddechrau'r ymosodiad, yn esbonio anallu Strzadala i weiddi am gymorth.

Dyfelid hefyd fod y llofrudd wedi dal Strzadala heb iddo ddisgwyl ymosodiad. Mae'r syniad hwn yn bwysig iawn. Unwaith eto gallai gyfrif am y ffaith na chlywodd neb yn Glan Road unrhyw sŵn, hyd y gwyddys – roedd y trywaniad cyntaf, efallai, yn ddigon i daro Strzadala'n 'fud', yn llythrennol. Ond mae'n awgrymu hefyd na fu unrhyw ffrae rhwng y ddau cyn y gwrthdaro. Os oedd yna ffraeo, unwaith eto, ni chlywodd neb yn y stryd gyfagos. Mae'n bosibl, wrth gwrs, fod y ddau wedi cweryla dan sibrwd, ond buasai unrhyw gynnen wedi rhoi cyn-filwr a chyn-garcharor rhyfel fel Strzadala ar ei wyliadwriaeth. I grynhoi, mae'n anodd cyfuno'r syniad o anghytundeb â'r ymosodiad annisgwyl yn yr un olygfa.

I geisio dal llofrudd Strzadala, o Scotland Yard daeth 'yr enwog Fabian o'r Yard ei hunan' (chwedl Roy Davies, *Llaw Dialedd*, t.100). Y peth tebycaf i dditectif ffuglen a ymgnawdolodd erioed – edrychai fel Maigret cymen – oedd y Ditectif Brif Arolygydd Robert Fabian. Fe'i hadwaenid fel Beau Brummel ar gyfrif ei *'attention to personal sartorial details'* (*The Times* Mehefin 15, 1978, t.18) fel ei *trilby* a'i hances wen wedi'i phlygu'n driongl a oedd i'w gweld bob amser ym mhoced uchaf ei siaced. Fe'i hadnabyddid fel *'Fun 'n' Games Fabian'* hefyd ar gorn ei hoffter o chwarae castiau ar ei gyd-weithwyr. Ond ei brif lysenw oedd Fabian o'r Yard. Cawsai'r enw o fod yn ddiwyd a thrylwyr ac mor gyndyn â gafaelgi, ac yn ôl yr ysgrif goffa a ymddangosodd yn *The Times* adeg ei farwolaeth, *'the knowledge in the underworld that Fabian was "on the job" came to be associated with the almost virtual certainty of an arrest being made'.* Seiliwyd ffilmiau a chyfres deledu ar ei fywyd.

Gyda seren mor ddisglair o ffurfafen yr heddlu yn arwain yr ymchwiliad i lofruddiaeth Strzadala, siawns na fyddai'r drwg-weithredwr yn cael ei ddal mewn byr o dro. Nid felly y bu.

Yn gyntaf aeth ati i chwilio am arf y llofrudd. Cyllell chwe modfedd â dwy ymyl lefn. Cribwyd y blanhigfa ac am y tro cyntaf, a'r unig dro yn ei hanes hyd yn hyn, fe bwmpiwyd y dŵr i gyd o'r llyn yn y parc ac archwiliwyd y gwaelod a'r ynys yn y canol â theclynnau canfod ffrwydradau. Teclynnau a wnaed yng Ngwlad Pwyl, fel mae'n digwydd. Heb lwyddiant.

Holwyd dynion, yn enwedig Pwyliaid, wrth y cannoedd. Chwiliwyd am arian papur ag olion gwaed arnynt. Ond er i'r heddlu gyfnewid llawer o bunnoedd glân am rai gwaedlyd ni ellid olrhain dim un ohonynt yn ôl at y drosedd. Lledaenwyd disgrifiad o ddyn 'rhwng 27 a 28 oed' a welwyd yng nghwmni'r Pwyliad noson y llofruddiaeth. Cyfetyb y disgrifiad o'r dyn hwn i bopeth yn nhystiolaeth Joseph Knibbs ar wahân i'r oedran. Dywedodd Knibbs, fe gofir, fod y dieithryn a welsai ef yn y parc rhwng 24 a 26. Pwy oedd yn gyfrifol am y llithriad hwn? Knibbs? Y wasg? Neu ynteu Fabian ei hun?

Archwiliwyd waled Strzadala am olion bysedd y llofrudd ynghyd â 'gohebiaeth' a ganfuwyd ar ei gorff. Teimlid yn sicr fod y rhain a'r cerdyn adnabyddiaeth ag olion bysedd y troseddwr arnynt. Ond os codwyd unrhyw dystiolaeth oddi ar yr eitemau hyn nid oedd o unrhyw gymorth i ddatrys y dirgelwch, hyd y gwyddys. Os nad oedd olion bysedd dieithr i'w cael ar y waled, yna mae sail i'r gred fod Strzadala ei hun wedi cymryd y waled o'i boced ac wedi rhoi'r arian yn llaw y dyn arall.

Yna, derbyniodd Fabian a'i dîm yn eu swyddfa dros dro yn Stryd y Farchnad, Aberdâr, lythyr di-enw yn cynghori'r heddlu i siarad â dyn arbennig, heb ei enwi. Nid oedd modd adnabod y dyn hwn oddi wrth y llythyr. Apeliodd Fabian drwy'r papurau lleol ar i'r llythyrwr gyflwyno mwy o fanylion. Ni chlywodd Fabian air arall. Digwyddiadau fel hyn a roes sail i'r gred fod rhywun neu rywrai yn adnabod y llofrudd ac yn ei warchod.

Roedd yr heddlu o'r farn y buasai'r llofrudd yn siŵr o fod â llawer

32

o waed ar ei ddillad. Ond, roedd trywsus y corff yn frwnt hyd at y pengliniau ac roedd pengliniau'r corff yn plygu i fyny, ac felly, a barnu wrth gyflwr y dillad ac ystum yr ymadawedig, mae modd dadlau bod Strzadala yn penlinio pan gafodd ei daro. Pe trewid ef ar ei ben ac ar draws ei wddwg wrth iddo benlinio, oni fyddai'r ymosodwr wedi cael gwell cyfle i osgoi tasgiadau'r gwaed?

Yna, cyn pen tair wythnos, galwodd Fabian yn Farnworth, Lancashire, i drafod yr ymchwiliad i lofruddiaeth Jack Quentin Smith gyda'r Prif Arolygydd John Capstick. Roedd Fabian wedi galw yno, meddid, am fod llofruddiaeth Smith wedi digwydd mewn lleoliad cyffelyb i'r un yn Aberdâr, ond doedd dim awgrym o gysylltiad rhwng y ddwy drosedd.

Pan ddychwelodd Fabian i Aberdâr ensyniodd y newyddiadurwyr lleol fod pethau eisoes yn dechrau tawelu a'r trywydd yn mynd yn oer. Ond gwadodd y ditectif enwog fod unrhyw laesu dwylo ar ei ran ef a'i gyd-weithwyr. Ond bradychodd taerineb ei hunanamddiffyniad ei fod wedi synhwyro'r awgrym o feirniadaeth.

Ond nid oedd y ddrwgdybiaeth yn gwbl ddi-sail. Heddiw, buasai llofruddiaeth fel un Jack Quentin Smith wedi denu llawer mwy o sylw a phenawdau bras y papurau yn galw am waed y llofrudd. Yn 1948, mor fuan ar ôl holl farwolaethau'r rhyfel, nid oedd stori am ladd plentyn, hyd yn oed, yn cael ei chyfrif yn un bwysig iawn ac ni fu fawr o sôn amdani. Bachgen un ar ddeg oed oedd Smith a gawsai'i drywanu yn ei frest a 'rhan isaf ei fol'. Roedd ganddo anafiadau difrifol i'w ben hefyd. Ychydig cyn iddo gael ei ganfod, ymosodwyd ar fachgen arall, naw oed; aed â hwnnw i'r ysbyty a goroesodd yr ymosodiad. Ond daethpwyd o hyd i gorff Smith yn agos at arglawdd rheilffordd Bolton i Fanceinion. Mae'n anodd gweld unrhyw gyffelybrwydd yma â lleoliad llofruddiaeth Strzadala.

Ar Ebrill 27ain cafwyd cyfweliad rhwng yr heddlu a 'dyn ifanc o bentref ar gyrion Aberdâr'. Roedd y dyn ifanc hwn yn gallu'i glirio'i hun, ond, yn ôl yr adroddiad yn yr *Echo*, 'agorwyd llinell newydd o ymholiadau gan y cyfweliad' (*'The interview opened up a new line of enquiry'*). Ni ddatgelwyd natur yr ymholiadau newydd.

Serch hynny, yn fuan ar ôl y cyfweliad hwn oerodd y diddordeb yn yr achos. Ar ôl y cwest ym mis Mai, ar ôl sôn am yr holl gyfweliadau a gynhaliwyd a'r holl ddatganiadau a gymerwyd (dros fil) a nodi'r ymweliadau â sawl lle ar hyd a lled y wlad (mor bell â'r Alban), dywedodd Fabian fod glaw noson y llofruddiaeth wedi golchi llawer o dystiolaeth ymaith.

Cwta fis ar ôl darganfod y corff mae'r *Aberdare Leader* yn mynd yn ôl at ei hoff themâu: *'Baptists Confer at Trecynon'*, *'Bus Service Improvements'*, *'Donald Duck Shows 3,000 Children How to Cross Road'* a mwy o hunanladdiadau (doedd dim pall arnynt). Mor fuan yr anghofiwyd am Strzadala a doedd neb i'w weld fel petai'n pryderu bod llofrudd yn byw â'i draed yn rhydd yn eu plith, o bosib. A dim sôn am Fabian.

Wrth gwrs, cadwyd y ffeil yn agored ar Strzadala. Ystyr cadw ffeil yn agored (o gyfieithu'r ymadrodd o'r heddluaeg) yw nad oes rhagor o waith yn cael ei wneud oni bai fod tystiolaeth newydd yn digwydd dod i sylw'r heddlu.

Yn cydredeg â'r newyddion am y llofruddiaeth ceid stori am farw Pwyliad arall yn y dref.

Chwe diwrnod ar ôl y llofruddiaeth, pump ar ôl darganfod corff Strzadala, ar nos Sadwrn Ebrill 24, cafodd Josef Solecki ei fwrw lawr ar yr heol gan fws. Bu farw'r diwrnod wedyn yn yr ysbyty. Neidiodd nifer o bobl, yn ddigon rhesymegol, i'r casgliad mai Josef Solecki oedd llofrudd Strzadala ac iddo gyflawni hunanladdiad mewn pwl o gydwybod euog. Hyd heddiw mae rhai o'r ychydig o drigolion Aberdâr sy'n dal i gofio hanes Strzadala yn credu mai hwn oedd yr ateb i'r dirgelwch. Beth bynnag, pan ofynnwyd i Fabian a oedd unrhyw gysylltiad rhwng y llofruddiaeth a marwolaeth Solecki, dywedodd y Prif Arolygydd yn ddi-flewyn-ar-dafod: 'Nid oes gennym reswm i gredu bod unrhyw gysylltiad rhyngddynt'. O'r datganiad hwn rhaid derbyn bod y ditectif hirben a phrofiadol hwn wedi gwneud yn siŵr o'r ffeithiau a chael *alibi* cadarn i Solecki am noson yr anfadwaith.

Ond nid yw'r ddau ddiwedd trist o fewn wythnos i'w gilydd heb orgyffyrddiadau. I ddechrau, fel Strzadala roedd Solecki, a oedd yn bump ar hugain oed, yn byw yn Neuadd Breswyl y Glowyr, Hirwaun. Ar ben hynny daethai o Oakdale i Aberdâr ym mis Gorffennaf 1947, yn union fel Strzadala. Gwyddom fod yr un peth yn wir am Witold Ranachowski ac nid oedd dim cyfeillgarwch rhyngddo ef a Strzadala. Mae'n debyg fod nifer o Bwyliaid eraill wedi dod ar hyd yr un llwybr drwy'r rhyfel i Oakdale ac wedyn i Aberdâr gyda'r tri hyn yn 1947.

Ond a oedd Strzadala a Solecki yn nabod ei gilydd yn well na'r lleill? Rhaid bod eu llwybrau wedi croesi sawl gwaith yn Oakdale a Hirwaun.

Noson ei ddamwain bu Solecki yn yfed yn drwm. Yn ôl tystiolaeth cyd-yfwr, cawsai naw peint o gwrw. Aethai ar fws yn ôl i'r neuadd ond aeth heibio i'r safle. Aeth oddi ar y bws hwnnw er mwyn dal un arall yn ôl i Hirwaun. Pan welodd y bws yn dod mae'n debyg ei fod wedi neidio i'r heol gan chwifio'i freichiau. Efallai ei fod wedi'i ddrysu yn ei feddwdod, ond, yn sicr, nid yw'r sawl sydd â'i fryd ar gyflawni hunanladdiad ar heol fel arfer yn chwifio'i freichiau – ystum sy'n awgrymu bod Solecki wedi ceisio stopio'r bws heb sylweddoli pa mor agos ydoedd na pha mor gyflym. Rhyw fath o anffawd, felly, yn hytrach na hunanladdiad oedd diwedd Solecki.

Beth sydd wedi digwydd yn achos Strzadala er 1948, felly? Nemor ddim.

Yn 1958 gwelwyd erthygl yn y papur lleol yn adolygu hanes y drosedd. Dywed fod Fabian wedi trefnu cyfieithu holl lythyron a phapurau a llyfrau Strzadala heb i'r ymdrech arwain at unrhyw wybodaeth ychwanegol ond i gadarnhau'r darlun o ddyn myfyrgar a didramgwydd.

Roedd y ffeil yn swyddfa'r *CID* yn dal yn agored.

Yn 1978 eto, yn fuan ar ôl marwolaeth Fabian a deng mlynedd ar hugain ar ôl y llofruddiaeth, ymddangosodd ambell erthygl yn y papurau lleol eto yn ailadrodd y ffeithiau sylfaenol. Ond nid oedd unrhyw oleuni newydd wedi ymddangos.

Ar lafar, yn ardal Aberdâr yn unig, ceir ambell ddamcaniaeth. Cred rhai fod y llofrudd wedi aros yn y cylch a'i fod yn fyw o hyd. Deil eraill taw Solecki oedd y llofrudd ac iddo wneud amdano'i hun.

Stori arall yw fod cyllell yn ateb y disgrifiad o'r un a ddefnyddiwyd i ladd Strzadala wedi cael ei chanfod y tu ôl i seston Neuadd Breswyl y Glowyr. Ni lwyddais i gadarnhau'r si hwn. Nid oes sôn am y peth yn erthyglau 1978, er enghraifft. Eithr yn *Aberdare Leader*, Mehefin 1958, ceir stori ddiddorol am gythrwfl yn nhoiled y neuadd. Torrwyd piben y seston ac yn yr adroddiad sonnir am ddŵr yn llifo lawr y waliau. Nid wyf yn awgrymu bod unrhyw gysylltiad rhwng y digwyddiad hwn a llofruddiaeth Strzadala, ond os oedd cyllell wedi cael ei chuddio y tu ôl i'r seston oni fuasai honno wedi cael ei rhoi yn y lle cyn 1958, ac oni fuasai unrhyw gyllell guddiedig wedi dod i olau dydd pan dorrwyd ac y trwsiwyd y biben wedyn yn

1958? Credaf fod stori'r gyllell yn apocryffaidd beth bynnag.

Ym mis Mai 1948, yn fuan ar ôl y llofruddiaeth a damwain Solecki, ceir stori well na'i gilydd ym mhapur lleol Aberdâr. Stori am lanc yn dwyn arian oddi wrth löwr Pwylaidd. Unwaith eto Neuadd Breswyl y Glowyr oedd canolfan y drygioni ac nid oedd pall ar yr hanesion annymunol a oedd yn gysylltiedig â'r lle. Pwyliaid, yn aml, oedd y troseddwyr. Nid eithriad oedd clywed am Bwyliaid yn achosi blinder a gofid i Bwyliaid.

Ac nid yn Aberdâr yn unig yr oedd hyn yn wir. Ym mis Mai 1948 lladdodd Jan Stowkowski, 22, morwr o Wlad Pwyl yn Aberdaugleddau, Henryk Bojko, 27, cyd-wladwr o forwr. Yna, yn 1954, cafwyd Michal Onufrejczyk yn euog o ladd ei gyd-wladwr a'i bartner Stanislaw Sykut, er gwaethaf absenoldeb corff.

A oedd rhywbeth am gyflwr alltudiaeth dynion o Wlad Pwyl yng Nghymru a'u gyrrai'n benben â'i gilydd?

Aeth tua 65 o Bwyliaid i angladd Jerzsy Strzadala. Taflodd pob un ohonynt ddyrnaid o bridd i'r bedd agored. Cyhoeddwyd lluniau o'r galarwyr o gwmpas yr arch yn yr eglwys Gatholig. A oedd y lladdwr yn eu plith?

Yn 1952 diflannodd Jan Bojda, Pwyliad o löwr o Aberdâr. Ai hwn oedd y 'cydymaith i'r dyn marw' (Strzadala) a olrheiniwyd i Ffrainc ac a gafodd ei holi gan y *Sûreté* (*Aberdare Leader*, Ebrill 19, 1958, t.3)?

Credai Fabian yn gryf mai Pwyliad oedd wedi lladd Strzadala. Holwyd dros ddeng mil o estroniaid (*aliens* oedd y term) gan dîm Fabian. A oedd elfen o hiliaeth ac o ddrwgdybio ffoaduriaid yn y cyfweliadau hyn? A oedd modd disgwyl i ddynion a ddiangasai o grafangau'r Natsïaid ac a fu (lawer ohonynt) yn garcharorion rhyfel i Brydain ymddiried yn yr heddlu ac agor eu calonnau iddynt? Mae'n eithaf posibl nad oherwydd bod rhywun wedi'i amddiffyn y cafodd lladdwr Strzadala noddfa, ond oherwydd fod rhai a wyddai bethau yn ofni siarad â'r heddlu.

Nid oes gobaith datrys dirgelwch llofruddiaeth Jerzsy Strzadala bellach, ond mae'n deg gofyn pam na chafodd ei laddwr ei ddal.

Nid yw'r achos wedi creu nemor ddim diddordeb y tu allan i gylch Aberdâr – a'r gwir amdani yw mai prin yw'r rhai sy'n gwybod dim am yr hanes yn y dref honno, hyd yn oed.

Ni cheir unrhyw gyfeiriad at y llofruddiaeth yn *The Murder Club Guide to South-West England and Wales*, Brian Lane, 1989, nac yn *Llaw*

Dialedd, Roy Davies, 1992, (y llyfr gorau yn Gymraeg ar lofruddiaethau go-iawn), nac yn *The Who's Who of Unsolved Murders,* James Morton, 1994, nac yn *South Wales Murder Casebook,* Paul Harrison, 1995. Pam y diffyg diddordeb mewn achos mor anghyffredin a dirgel?

Yn fwy arwyddocaol, ni cheir gair am farwolaeth Jerzsy Strzadala yn *Fabian of the Yard,* Robert Fabian, 1950.

Yr argraff yr oedd Fabian am ei chyfleu yn y llyfr hunangofiannol hwn oedd fod pob troseddwr yn cael ei ddal yn y pen draw. Y neges yw fod y cyhoedd yn ddiogel yn nwylo'r heddlu – ond bai'r cyhoedd yw eu bod yn cael eu dal gan droseddwyr mor aml. Yn *Anatomy of Crime,* 1970, mae Fabian yn cynghori pobl gyffredin ar sut i osgoi lladron, twyllwyr a llofruddion.

Ond nid yw ei fanylrwydd diarhebol diarbed a'i sylwgarwch chwedlonol yn cael eu cyfleu yn ei ysgrifau. Er enghraifft, wrth iddo draddodi hanes llofruddiaeth menyw o'r enw Dagmar Peters yn *Fabian of the Yard,* nid yw'n nodi ei hoedran.

Dim ond ei lwyddiannau sy'n cael sylw yn ei lyfrau. Achos enwocaf Fabian, fe ddichon, oedd llofruddiaeth Alec de Antiquis. Cawsai ei saethu wrth iddo geisio rhwystro lladron arfog. Gwelwyd y lladron gan saith llygad-dyst ar hugain, serch hynny methwyd â chael disgrifiad dibynadwy ohonynt. Liw dydd llwyddodd y troseddwyr i ffoi. Cafodd yr achos gryn dipyn o sylw yn y wasg ar y pryd, yn bennaf, mae'n debyg, am ei fod wedi digwydd yng nghanol Llundain. Cafodd Fabian dipyn o drafferth i ddal llofrudd Antiquis, ond roedd yn benderfynol oherwydd darluniwyd Antiquis fel arwr a dyn diniwed a gawsai'i ddienyddio am ei wrhydri. Ar ben hynny roedd e'n dad i chwech o blant.

Cafwyd tri yn euog, sef James Geraghty, Harry Jenkins a Peter Rolt. Crogwyd Geraghty a Jenkins ond roedd Rolt yn rhy ifanc. Dim ond un fwled laddodd Antiquis. Dyma ddadl gref yn erbyn y gosb eithaf.

Ar ôl y 'llwyddiant' hwn daeth Fabian i gysylltiad anuniongyrchol ag achos yng Nghymru. Yn *Llaw Dialedd* edrydd Roy Davies fel y bu i heddlu de Cymru, a oedd yn chwilio am lofrudd Muriel Drinkwater o'r Tyle Du, gael cymorth Fabian. Aeth y ditectif ar ôl wyth ar hugain o lowyr a symudasai o'r ardal i Swydd Gaint i weithio o fewn ychydig ddyddiau i'r llofruddiaeth. 'Ni chafodd yntau (Fabian) unrhyw ben-llinyn' (*Llaw Dialedd,* t.100). Ac erys y llofruddiaeth honno heb ei datrys hefyd.

Daeth Fabian i Aberdâr yn 1948. Flwyddyn yn ddiweddarach roedd e wedi ymddeol. A oedd e wedi colli'i frwdfrydedd a'i drylwyredd diarhebol ar ddiwedd ei yrfa fel heddwas wrth weld gyrfa newydd fel awdur a darlledwr yn ymagor o'i flaen yn ei henaint heini?

Pan gymerodd yr awenau yn achos Strzadala dywedodd: ' . . . mae'r ateb i'r drosedd ofnadwy hon i'w gael drwy gasglu gwybodaeth yn amyneddgar ac yn ddi-ball.' Ond ar ben pump wythnos, ar y mwyaf, roedd ei amynedd wedi pallu.

Yn 1960 canfuwyd corff William Arthur Elliott wedi'i guro i farwolaeth mewn lôn wledig, Clod Hall Road, Chesterfield. Fe'i disgrifiwyd gan yr heddlu fel dyn 'tawel ac ymcilgar'. Treuliasai'r noson yn nhafarn y *Spread Eagle*. Dywedodd y tafarnwr amdano ei fod yn ddyn 'tawel a hael. Arferai yfed dau neu dri gwydryn o siandi, ac ni fyddai'n aros yn hwyr. Nid oedd ganddo elyn yn y byd'. Wrth ddarllen y geiriau hyn daw i gof y disgrifiadau o Strzadala – ei dawelwch, ei swildod, ei ddewis o *lemonade* yn hytrach na diodydd cryf, y sicrwydd nad oedd ganddo elynion.

Y rheswm am y llofruddiaeth, yn ôl yr heddlu ar y pryd, oedd lladrad, gan fod ganddo sawl papur punt yn ei bocedi pan adawodd y dafarn ond nid oeddynt i'w cael ar ei gorff pan ddarganfuwyd ef y diwrnod wedyn. Mor debyg i Strzadala yw'r llofruddiaeth, y dyn a laddwyd, ac agwedd yr heddlu tuag at yr achos, ond nid oes cysylltiad.

Yna, ym mis Mawrth 1961, canfuwyd corff George Gerald Stobbs wedi'i guro i farwolaeth yn y Clod Hall Road, Chesterfield. Mor debyg oedd y ddwy drosedd nes iddynt gael yr enw 'y llofruddi-aethau dyblygedig' (*'Murder in Duplicate'*).

Mae'n eithaf posibl y buasai'r llofruddiaethau hyn wedi aros heb eu datrys fel achos Strzadala oni bai i ddyn gyfaddef iddynt. Ym mis Tachwedd 1963 cerddodd cyn-filwr pump ar hugain oed o'r enw Michael Copeland i orsaf heddlu Chesterfield a chyffesu iddo ladd Elliott a Stobbs. Datgelodd hefyd iddo guro i farwolaeth fachgen pymtheg oed yn Verden, yr Almaen, pan oedd yn filwr yno, ar ôl iddo'i wylio yn cael cyfathrach rywiol gyda merch. Trywanodd y bachgen saith ar hugain o weithiau o flaen llygad y gariadferch.

Rhoes Copeland ddisgrifiad manwl o'r tair llofruddiaeth, ac eto cafodd ei ryddhau – yn wir cawsai'i ryddhau ar ôl cyfaddefiad cynharach, chwe mis ar ôl y troseddau.

Nid oedd y Ditectif Brif Arolygydd Bradshaw a Ditectif Sarjant Downing yn ei gredu. Ni ddygwyd cyhuddiad yn ei erbyn. Hyd yn oed ar ôl ei ail gyffes, bu'n rhaid aros dros flwyddyn arall cyn iddo gael ei arestio ym mis Rhagfyr 1964, pan oedd yn y carchar, wedi'i ddedfrydu am ddeunaw mis am achosi niwed corfforol.

Ni ddatgelodd yr heddlu yr wybodaeth fod semen wedi cael ei ganfod yng ngheg ac yn rhefr Elliott a bod tystiolaeth fforensig yn dangos bod Stobbs wedi cael cyfathrach rywiol refrol cyn iddo gael ei ladd. Gwyddai'r heddlu hefyd fod Elliott wedi cael ei rybuddio ynglŷn â throseddau gwrywgydiol (hyd at 1967 roedd pob gweithred gyfunrywiol rhwng dynion yn anghyfreithiol).

Dywedasai Copeland ei fod yn ffieiddio gwrywgydwyr oherwydd eu bod yn annaturiol. Haerodd nad oedd yn wrywgydiwr ei hunan, er ei fod wedi cymdeithasu gyda rhai; nid oedd wedi chwilio amdanynt, meddai.

Yr arwydd i guddio natur rywiol y dynion a lofruddiwyd a'r anallu i ddehongli datganiadau Copeland ynglŷn â 'chymdeithasu â gwrywgydwyr' sy'n cyfrif am ymateb yr heddlu iddo. Mae'n bosibl hefyd fod ditectyddion wedi cael y dystiolaeth fforensig yn rhy wrthun i ddelio â hi.

Os oedd yr heddlu yn 1963 yn amharod i wynebu llofruddiaeth wrywgydiol, mae'n deg casglu y buasai'u hymateb hyd yn oed yn gulach yn 1948.

I grynhoi, felly, mae'n ymddangos i mi fod o leiaf bum ffactor gwleidyddol a chymdeithasol sy'n esbonio'r methiant i ddal llofrudd Strzadala:

i) y ffaith mai estronwr heb deulu ydoedd (senoffobia),

ii) y ffaith fod Fabian ar fin ymddeol (blinder),

iii) y ffaith mai yn fuan ar ôl y rhyfel ydoedd (difrawder),

iv) y ffaith fod Aberdâr yn dref di-nod yng Nghymru (daearyddiaeth),

v) yr elfen rywiol – o bosib (homoffobia).

A beth ddigwyddodd i ddienyddiwr Strzadala tybed? Fy marn i yw fod ei enw di-nod wedi ymddangos yn hwyr neu'n hwyrach ymhlith y storïau dirifedi am hunanladdiadau unigolion yn yr ardal a gyhoeddid yn gyson yn yr *Aberdare Leader*. Oni bai iddo wneud amdano'i hun neu farw yn ddisymwth, mae'n debyg y buasai wedi taro eto ac nid oedd yn debygol o gael yr un 'lwc' yr eildro.

Un rheswm am y diffyg diddordeb yn y dirgelwch hwn, mi gredaf, yw fod pobl wedi tybio nad oedd dim byd i'w ddweud amdano gan nad oedd neb dan amheuaeth, hyd y gwyddai'r cyhoedd. Fel arfer personoliaeth y llofrudd (neu'r sawl a amheuir o'r llofruddiaeth) sy'n ennyn diddordeb mewn trosedd go-iawn. Ond roedd Strzadala yn ddyn digon diddorol. Ac fe'i dilëwyd gan ddyn anhysbys am resymau anchwiliadwy.

Rhan o'r broblem yw nad oedd neb ar ei ôl yn Aberdâr i boeni'r heddlu i ddal ati i chwilio am y drwgweithredwr. Nid oedd yn rhan o'r gymuned, yn wir, nid oedd yn rhan o'i gymuned ei hun o alltudion o Wlad Pwyl.

Dengys yr hanes hwn fod ein hymateb i lofruddiaethau yn newid yn ôl statws y sawl a lofruddir – ac yn ôl ffasiwn. Pan leddir putain, gwrywgydiwr neu rywun mewn oed, ni welir fawr o sôn am y peth yn y wasg ac ar y cyfryngau. Yr awgrym yma yw fod ein cymdeithas yn credu bod hen bobl yn hepgoradwy a bod gwrywgydwyr a phuteiniaid yn haeddu cael eu lladd. Ar y llaw arall, pan leddir plentyn ceir banllefau o brotest sy'n ymylu, yn amlach na pheidio, ar yr anghytbwys, yr anifeilaidd a'r lloerig. Pan fynegir y protestiadau hyn eu prif nodwedd yw hunangyfiawnder beirniadol. Ond mae'n hawdd gweld ynddynt gymdeithas ragrithiol yn ceisio gwneud iawn am ei heuogrwydd ei hun, 'The lady doth protest too much, methinks'. A ffasiwn newydd yw hon fel y dengys y ffaith nad oedd nemor ddim sôn am lofruddiaeth erchyll Jack Quentin Smith ym mhapurau dyddiol 1948.

Rydym yn byw mewn gwlad sy'n gwahaniaethu rhwng llofruddi-aethau, sy'n mynd dros ben llestri wrth fynegi ffromder moesol ynglŷn â rhai ac yn anwybyddu rhai eraill. Oni ddylid condemnio *pob* llofruddiaeth gyda chadernid gwrthrychol?

Tua'r un adeg â llofruddiaeth James Bulger adroddwyd stori am lofruddio merch un ar bymtheg oed o'r enw Susan Capper yn y papurau, ond chafodd yr hanes fawr o sylw, mewn gwirionedd. Fe'i harteithiwyd mewn dulliau anhygoel o greulon dros gyfnod estynedig gan griw o bobl a arweiniwyd gan ddwy fenyw. Onid yw'n dweud rhywbeth am ein hegwyddorion chwit-chwat fod y naill stori wedi cael holl sylw'r wlad a'r llall wedi cael ei hanwybyddu? Pam oedd Susan Capper yn llai pwysig?

Y Bachgen Mawr Diniwed

Bachgen od oedd Harold Jones. Gwnâi'r merched hwyl am ei ben ar gorn ei goesau a'i freichiau a oedd yn rhy hir i'w gorff, fel petai. Roedd e'n bymtheg oed, yn drwm ei glyw a dywedid ei fod yn ddiniweityn, prin ei eiriau. Yn ôl rhai dywedwst oedd e a gallai fod yn surbwch. Ond swil oedd e, meddai eraill, a di-feddwl-ddrwg. Wedi'r cyfan, ychydig o ysgol a gawsai ac roedd ei rieni'n falch pan gafodd waith yn siop hadau a chorn Mortimer yn stryd Somerset – bu'n lwcus i gael unrhyw waith o gwbl. Ond er gwaethaf ei arafwch gallai chwarae'r organ rhyw ychydig ac roedd ganddo gylch o gyfeillion cyfoed: Teddy Clissett, Levi Meyrick, Alfred Gravenor. Doedd e ddim yn anghymdeithasol o bell ffordd. Ac roedd e'n hoff o smygu sigarennau ac ymddwyn fel dyn crand, cadwyn arian ar draws ei wasgod.

Glöwr oedd Henry Mortimer ond roedd ganddo fusnes hadau ar ben hynny a chadwai ieir yn y sied yn Princess Street. Dibynnai ar ei wraig, ei fab Frank ac ar Harold Jones i redeg y siop pan na allai fod yno ei hunan. Ar wahân i'w waith yn y lofa roedd digon o alw am ei wasanaeth i feirniadu mewn sioeau adar. Roedd e'n aelod blaenllaw o'r *Abertillery Caged Birds Society*.

Roedd Mr Mortimer yn ddigon hoff o Harold Jones i drosglwyddo tipyn o gyfrifoldeb y siop iddo. Âi Harold i gael neges a gweini yn y siop. Ymhlith ei ddyletswyddau roedd yn gyfrifol am fwydo'r ieir yn y sied yn Princess Street lle cedwid corn a hadau hefyd, a glanhau'r ffenestri.

Roedd y bachgen mawr od hwn yn byw gyda'i rieni a'i chwaer fach, Flossie, yn 10 Darran Road, Abertyleri. Hefyd lletyai dyn o'r enw William Greenway gyda'r teulu. Roedd Harold yn gorfod rhannu'r un llofft a'r un gwely â'r dyn hwn.

Yn 1921 roedd Abertyleri yn dref eithaf bywiog gydag amrywiaeth o ffilmiau yn cael eu dangos yn sinemâu'r Pavillion a'r Empress. Ffilmiau Chaplin a Fatty Arbuckle, wrth gwrs, oedd yr arlwy ehangaf ei apêl. Ym mis Ionawr dangoswyd *The Shot of Mystery* gyda'r actor Rene Creste ynddi yn y Pavillion, a'r *Gaumont Graphic* – 'newyddion y byd mewn lluniau'. Ar yr un pryd roedd yr Empress yn dangos drama gyfres mewn pymtheg rhan yn dwyn y teitl *Black Secret*.

Yn theatr weithgar y Metropole ceid dwy sioe: *Beauty and the Beast* ar gyfer y plant, ac ar gyfer y gynulleidfa hŷn, Mr William Maclaren

43

yn *The Sign of the Cross* a hysbysid fel 'The *Greatest Play of the Century'*
gan Wilson Barrett; hwn oedd 'The *Event of the Season'* o safbwynt
Abertyleri yn ôl cyhoeddusrwydd y Metropole.

Go brin fod gan Harold Jones a'i ffrindiau fawr o ddiddordeb yn yr
hyn a oedd yn digwydd y tu mewn i'r theatr. Arferent gwrdd â'i
gilydd y tu cefn i'r adeilad a thanio'u sigarennau cyn ymlwybro draw
at y stafell biliards yn Somerset Street, nad oedd yn bell i ffwrdd oddi
wrth siop Mortimer, yn gyfleus iawn i Harold Jones.

Roedd y neuaddau biliards yn hynod o boblogaidd yn y dref.
Ofnai'r parchusion fod gormod o blant yn mynychu'r mannau
pechadurus hyn. Yn 1921 cafwyd pedwar cais am drwyddedau
newydd ar gyfer stafelloedd chwarae biliards yn Abertyleri; yn eu
plith daethai un oddi wrth Thomas Preece, perchennog yr un yn
Somerset Street, hoff le Harold Jones. Gwrthodwyd cais Mr Preece gan
nad oedd 'cyfleusterau' digonol yno. Trwydded neu beidio roedd y lle
yn dal yn agored i fusnes a Harold a'i ffrindiau yn dal i fynd yno'n aml
i chwarae.

Daeth menyw seicig a alwai ei hun yn La Somna i'r dref i
berfformio yn Davies, Wesley Buildings am ddim. Honnai y gallai
ddweud pethau am eich gwraig, cariad, gŵr neu gyfaill a dod o hyd i
eiddo a gollwyd a lleoli pobl ar goll. Ond ni allai La Somna weld, fwy
na neb arall, y trychineb a oedd i ddod i ran trigolion Abertyleri y
flwyddyn honno.

Lle pechadurus oedd de-ddwyrain Cymru yn chwarter cyntaf yr
ugeinfed ganrif. Yng Nghwmbrân ym mis Rhagfyr 1920 bu ffrae
rhwng criw o gymdogion mewn lle yn dwyn yr enw Tranquil Place.
Dyn du oedd Thomas Smith, un o'r bobl yn yr achos, ac mae'n debyg
fod elfen o hiliaeth yn yr anghydfod. Taflodd Mr Penn ddŵr drosto ac
aeth Mrs Penn ati i'w guro gyda choes ysgubell. Daeth pobl eraill i'w
helpu gan daflu cerrig a chicio Mr Smith 'a gollodd ei ddannedd yn y
sgarmes'. Ond roedd Mr Smith wedi torri gên Mr Penn yn y
gorffennol. Dywedwyd bod ewyn yn dod o geg Smith. Cafodd Smith
a Penn bob o ddirwy o ddeugain swllt.

Daethpwyd o hyd i gorff baban yn yr afon yn Nhredegar ac yn yr
un dref bu farw May Evans (59) yn ei gwely yn ei meddwdod wrth
ochr ei gŵr.

Meudwy oedd Susan Miller (51) a bu'n gorwedd yn farw yn ei
chartref am wythnos cyn i neb ddod o hyd i'w chorff.

Cyhuddodd Trevor Castree o Drefynwy ei fab ei hun, William Castree (18), o ymosod arno. Roedd gan y llanc gymeriad drwg a bu'n cymdeithasu gyda lladron a herwhelwyr.

Yn ei ewyllys gadawodd dyn cefnog swllt yn unig i'w wraig 'i brynu rhaff'.

Bu'n rhaid datgladdu corff baban Edith Constance (roedd hi'n ddibriod ond roedd ganddi dri o blant yn barod) ar amheuaeth o lofruddiaeth. Roedd Miss Constance wedi honni bod y baban yn farwanedig, ond canfuwyd marc o amgylch gwddwg y plentyn.

Lladdwyd Mr William Richards, gŵr gweddw 74 oed, yn ei fwthyn yn Llanfrechfa Isaf. Malwyd ei ben gan offeryn trwm metalaidd, ond ni lwyddwyd i ddal y llofrudd erioed.

Lladdodd Katie Whistance ei modryb yn ei chartref unig yn Llanfetheryn. Roedd Katie yn 15 oed ar y pryd.

Cafwyd corff menyw tua 32 oed ar y traeth, ac er gwaethaf ymholiadau eang ni lwyddwyd erioed i ddweud pwy oedd hi.

Yn ardal Pantypwdyn, Abertyleri, bu cyfres o ymosodiadau aflednais ar fenywod. Cawsai merched a menywod eu hambygio a'u sarhau yn rhywiol yn y strydoedd, ar gorneli tywyll ac yn y lonydd cefn gan ddyn a lwyddasai i ddiengyd mewn pryd bob tro. Ac ar un achlysur gwnaed niwed corfforol difrifol. Roedd Mrs Higgins, gwraig i saer maen, yn dod allan o'i thŷ yn Darran Road un noson ac yn mynd trwy glwyd heb fod ymhell o'i chartref pan drywanwyd hi'n ei chefn. Gollyngodd Mrs Higgins sgrech uchel ac ar hynny heglodd ei hymosodydd ymaith. Ond chawsai Mrs Higgins ddim golwg arno fel y gallai'i adnabod eto.

Ar yr un pryd roedd hunanladdiadau yn bla. Bob wythnos, bron, byddai rhywun neu'i gilydd yn gwneud amdano'i hun drwy neidio o flaen trên neu ymgrogi. Fel Oliver Fry (36) a grogodd ei hun yn nhŷ bach ei lety yn Forge Row, Abertyleri.

Ond nid de-ddwyrain Cymru oedd unig gartref gwylltineb. Ym mis Ionawr 1921 crëwyd tipyn o gyffro drwy'r wlad i gyd pan arestiwyd bachgen ysgol, sef Donald Litton o Redbourne, 14 oed, ar gyhuddiad o ladd Mrs Sara Seabrook.

Ac yna, ym mis Chwefror 1921, daeth trychineb ofnadwy i Abertyleri.

Fore Sadwrn, Chwefror y 5ed, gofynnodd Mr Fred Burnell i'w ferch Freda, 8$^{1}/_{2}$ oed, fynd ar yr heol i brynu pecyn o sbeis i'r ieir o siop

Mortimer, bedwar can llath i ffwrdd. Rhoes swllt a $2^1/_2$ ceiniog iddi ($2^1/_2$ am sbeis a'r swllt am fag o raean) a'i siarsio i fod yn glou ac yna fe gâi hi geiniog rhyngddi a'i chwaer fach Gladys am fynd i gael y neges.

Gadawodd Freda ei chartref yn Earl Street rywbryd ar ôl naw o'r gloch y bore. Nid dyma'r tro cyntaf iddi fod i siop Mortimer ar ran ei thad ond efallai nad oedd hi'n gwbl siŵr yn ei meddwl pa fath o raean i'w gael. Roedd hi'n cario bag i roi'r graean ynddo.

Fe'i gwelwyd ar ei ffordd i'r siop gan Charles Betts gyferbyn â'r Drill Hall a dywedodd hwnnw 'S'mae Jini Maud?' wrthi. Roedd e'n arfer galw pob merch fach na wyddai mo'i henw iawn yn Jini Maud.

Cyrhaeddodd Freda y siop tua 9.15 a hithau newydd agor am y dydd. Roedd Harold Jones yn y gegin o dan y siop ar y pryd ond galwodd y forwyn arno i ddweud bod rhywun yn y siop yn disgwyl gwasanaeth. Aeth Harold i fyny a rhoi pecyn o sbeis ieir iddi am $2^1/_2$ ceiniog. Ond ni roddodd raean iddi. Roedd yno raean rhydd yn y siop ond nid oedd bagiau swllt yn barod. Ond roedd bagiau i'w cael yn y sied.

Roedd sied Mortimer yn Princess Street rhwng y siop a chartref Freda. Fe welwyd y ferch y tu allan i'r siop gan Frank Mortimer, mab y perchennog. Mae'n bosib mai cerdded adre yr oedd hi neu'n mynd i'r sied – gan fod y ddau le i'r un cyfeiriad. Beth bynnag, dyna'r tro olaf i unrhyw un weld Freda Burnell yn fyw.

Ar ôl iddo ddisgwyl yn hir am ei ferch dechreuodd Fred Burnell chwilio amdani. Roedd i'w weld yn pryderu digon fel yr ymunodd nifer o'i gymdogion ag ef gan gynnwys nifer o bobl Byddin yr Iachawdwriaeth – roedd Burnell a'i deulu yn aelodau o'r Fyddin a oedd yn fudiad cryf yn Abertyleri (yn wir roedd Fred Burnell yn aelod o'r band a ystyrid y gorau o holl fandiau'r Fyddin yn y wlad ar y pryd). Wedyn galwyd am gymorth yr heddlu.

Am 8.30 y noson honno galwodd Harold Jones yng nghartref Burnell i ofyn a oedd unrhyw newyddion ynghylch y ferch fach. Dywedodd y bachgen fod Freda wedi galw yn y siop yn y bore a'i fod wedi gweini arni ei hunan. Roedd hyn yn groes i'r hyn a ddywedasai Mrs Mortimer, sef nad oedd y ferch wedi galw yn y siop. Yn ddiweddarach yr un noson galwodd Harold Jones eto, tua deg o'r gloch. Roedd teulu Burnell yn ei nabod yn dda gan eu bod wedi byw yn agos i'w deulu ef ar un adeg.

Ond doedd dim newyddion. Ni chafwyd hyd i Freda Burnell y diwrnod hwnnw.

Fore Sul, Chwefror y 6ed, daeth Edward Thomas Lewis, un o weision stabal y lofa, allan o'i dŷ yn Duke Street, drwy'r drws cefn i'r lôn gefn. Yno y gwelodd gorff y ferch. Galwodd yr heddlu.

Roedd ganddi anaf i'w phen. Cawsai ei choesau'u clymu uwchben y ffêr a chlymwyd ei breichiau uwchben y penelinoedd. Clymwyd darn o ddeunydd dros ei cheg. Roedd anrhefn ar ei dillad, ac roedd mân us arnynt ac ar ei thraed. Roedd hyn yn awgrymu bod y corff wedi cael ei gadw mewn sach a gynhwysai fân us, a bod y corff wedi cael ei gario yn y sach i'r lôn y tu cefn i Duke Street a'i ollwng yno.

Cymerwyd y corff i dŷ rhieni'r ferch. Daeth *Chief Detective Inspector* Helden a *Detective Inspector* Soden o Scotland Yard i ymgymryd â'r achos.

Archwiliwyd y corff gan y meddygon Dr Lloyd (Y Fenni), Dr T. Brillic Smith (Abertyleri) a Dr S. Simons.

Ond pwy oedd y llofrudd? Roedd 'na ddigon o ddamcaniaethau a sibrydion ar led yn yr ardal. Fore Sul, y diwrnod y darganfuwyd y corff, roedd dwy fenyw yn cloncian ar ben drysau'u tai pan ddaeth dyn dieithr atynt a gofyn am frecwast. Cytunodd un o'r menywod i roi bwyd iddo a'i wahodd i'r gegin. Roedd hi'n hwylio i goginio bacwn ac wyau, yn gwneud te ac ar fin rhoi'r bwyd o'i flaen ac yntau wedi eistedd wrth y ford, pan ddaeth merch y tŷ, un ar ddeg oed, i'r stafell. Ar hynny, neidiodd y dieithryn i'w draed a mynd trwy'r drws fel cath i gythraul a rhedeg nerth ei sodlau i fyny'r stryd a diflannu. Digwyddodd hyn tua tair awr ar ôl darganfod corff Freda, ac yn y Blaenau, tua thair milltir o Abertyleri.

Bythefnos yn ddiweddarach cynhaliwyd cwest crwner Abertyleri. Daeth torfeydd i glywed yr achos yn y llys yn Queen Street.

Holwyd y tad yn gyntaf a ddaethai i'r llys yng nghwmni Adjt Fletcher o Fyddin yr Iachawdwriaeth, Abertyleri. Aeth Fred Burnell dros hanes anfon ei ferch fach ar ei neges a'r chwilio amdani wedyn.

Yna galwyd ar Charles Betts ac felly, fe olrheiniwyd symudiadau'r ferch rhwng naw yn y bore a chwarter wedi naw pan gyrhaeddodd siop Mortimer.

Y tyst nesaf oedd Harold Jones. O'r dechrau fe welwyd ei fod yn ddiniwed ac yn ansicr o'i stori. Cyfaddefodd iddo ddweud anwiredd wrth yr heddlu ynglŷn â'r allwedd i'r sied cyn iddo gael cyfle i gyflwyno'i dystiolaeth yn iawn. Ofni cael stŵr gan Mr Mortimer oedd e, oherwydd iddo adael y sied yn agored.

Yn ôl Harold Jones daethai i fyny o'r cwtsh glo o dan y siop i weini ar Freda Burnell pan alwodd Dolly y forwyn arno. Rhoesai'r sbeis iddi ond dywedodd nad oedd graean mewn bagiau swllt yn y siop, dim ond graean rhydd. Talodd Freda am y sbeis a gadael y siop gan ddweud y byddai hi'n gofyn i'w mam beth i'w wneud ynglŷn â'r graean.

Roedd tystiolaeth Harold yn ddryslyd ac fe geisiwyd ei faglu gan awgrymu iddo dywys Freda i'r sied yn Princess Street ar yr honiad y byddai yno fagiau swllt o raean parod. Hefyd fe wnaed môr a mynydd o'r busnes ynglŷn â'r allwedd a'r gwahaniaeth rhwng ei ddatganiad i'r heddlu a'i dystiolaeth gerbron y llys.

Codwyd amheuon hefyd ynglŷn â symudiadau Harold Jones yn ystod y bore, yn ystod yr awr ginio (aethai, meddai, i'r stafell biliards yn Somerset Street) ac yn ystod y nos (cyfarfu â'i ffrindiau Teddy Clissett, Levi Meyrick ac Alfred Gravenor yn Princess Street). Penderfynodd y crwner y byddai'n galw ar Harold Jones eto yn nes ymlaen.

Yn ddiweddarach tystiodd Mrs Emanuel, o Princess Street, iddi glywed sgrech ryfedd tua 9.30 yn y bore. Dechreuasai'r sgrech yn sydyn, unwaith, a daeth i ben yr un mor sydyn. Fel sgrech wedi'i mygu.

Clywsai Mrs Evans, Duke Street, yn ei gardd hi (a oedd yn gorgyffwrdd â Princess St a sied Mortimer) sgrech arswydus tua 9.30 hefyd. Dywedodd fod y sŵn wedi gwneud iddi feddwl fod plentyn yn cael ei guro'n greulon.

Dywedodd Arthur Henry Duggan, 107 Princess Street, ei fod e'n gallu cyrraedd cefn sied Mortimer yn ei ardd. Ar fore Sadwrn Chwefror y 5ed clywsai sgrech fer ond uchel o gyfeiriad y sied. Unwaith eto, dywedodd fod y sgrech fel petai wedi cael ei mygu.

Gan fod tri o bobl wedi clywed sgrech yn dod o'r un llecyn (sied Mortimer) a thua'r un amser, tybid mai tua 9.30 yn y bore ac yn sied Mortimer yn Princess Street yr ymosodwyd ar y ferch.

Parhaodd y gwrandawiad am saith niwrnod ac ar y diwedd, er mawr syndod i lawer, fe arestiwyd Harold Jones. Fe'i dygwyd o flaen yr ustusiaid ym mis Mawrth. Roedd cryn dipyn o ddiddordeb yn yr achos erbyn hyn gan fod bachgen mor ifanc dan amheuaeth (er bod merch o'r un oedran, sef Katie Whistance, wedi'i chael yn euog o ladd ei modryb yn yr un ardal y flwyddyn cynt, ac yn Lloegr cyfaddefodd Donald Litton [13] i lofruddio Mrs Seabrook ym mis Chwefror) a daeth torf i'r llys yn y gobaith o gael mynediad am ddim i'r gwrandawiad.

Hebryngwyd Harold i'r llys gan ei dad a ddywedodd 'cheer up' wrtho, a rhoes y bachgen wên fawr i'r dorf, ac enillodd ei ddiniweidrwydd amlwg eu calonnau.

Yn ôl Helden o Scotland Yard, pan glywodd y llanc y cyhuddiad dywedodd: '*I know it's all black against me, but I never done it.*'

Gwrthododd yr ustusiaid gais am fechnïaeth felly fe aethpwyd â'r bachgen ymaith. Unwaith eto anogodd ei dad ef i godi'i galon.

Galwyd Harold Jones o flaen ei well eto yn ffurfiol yn Nhŷ Sesiynau Brynbuga ym mis Mawrth 1921 ac fe'i cadwyd yn y ddalfa.

Ym mis Ebrill fe'i cymerwyd o flaen ustusiaid Abertyleri. Mr Lort Williams A.S. oedd arweinydd yr erlyniad ac arweiniwyd yr amddiffyniad gan Mr W.J. Everett a fu'n gyfrifol am achos Harold Jones o'r dechrau. Yr ustusiaid oedd Mr David Jones (Glynebwy), Mr W.B. Harrison, Mr Gorman a Mr W. Frowen.

Yn ôl Lort Williams, echelbwynt y trosedd oedd rhwng 9.30 a 9.54 a gofynnodd pwy arall ond Harold Jones a allai fod wedi cyflawni'r anfadwaith? Roedd y ffeithiau, meddai, yn gwneud prawf yn anochel.

Cyflwynwyd tystiolaeth feddygol gan Dr Simons. Priodolodd achos y farwolaeth i sawl elfen: yr ymgais i dreisio'r ferch, yr ymgais i'w thagu a'r anaf i'w phen. Awgrymodd fod y ferch wedi marw tua 13.30. Ni ofynnodd neb ble'r oedd y ferch rhwng 9.54 pan ymosodwyd arni a'r amser y bu hi farw. A fu'n gorwedd yn y sied yn ei chystudd olaf, yn marw ar ei phen ei hun drwy'r holl amser hyn?

Yna fe ddygwyd Herbert Henry Mortimer o flaen yr ustusiaid. Y dyn mawr mwstasiog hwn oedd cyflogwr Harold Jones, ac adarwr o fri. Yn wir, fore'r anfadwaith roedd Mr Mortimer ar ei ffordd i Fargoed i feirniadu mewn sioe adar. Ond, cyn iddo adael, mae'n debyg fod Mortimer wedi gweld Freda Burnell yn y siop y bore hwnnw. Gwelsai Harold yn gweini ar blentyn rhwng 9.30 a 10.50 pan adawodd am y sioe, ond ni sylwodd ai merch ynteu fachgen oedd y plentyn.

Pan ddaeth Harold Jones dan amheuaeth a bod gofyn iddo roi tystiolaeth yn erbyn y llanc, dywedodd Mortimer wrth yr heddlu: '*Hey, against Harold Jones, they're likely to get that, they've got some hopes of that,'* gan ychwanegu, *'I have nothing against Harold Jones'.*

Dywedodd Lort Williams fod Mortimer yn dyst 'gelyniaethus' gan ei atgoffa o ddifrifoldeb yr achos.

Daeth meddyg arall ymlaen wedyn i ychwanegu at y dystiolaeth feddygol. Ym marn Dr T.E. Lloyd, pennaf achos marwolaeth Freda Burnell oedd braw.

Ailadroddodd Frank Mortimer ei ddatganiad iddo weld Freda yn gadael y siop ar ei phen ei hun â'r pecyn o sbeis yn ei llaw.

Dyma'r ansicrwydd. Gwelwyd Freda yn gadael y siop, felly, sut yn y byd y gallasai Harold ei lladd a chuddio'i chorff? Pam oedd Henry Mortimer mor elyniaethus? Pan alwyd ar Henry Arthur Duggan eto gwelwyd nad oedd mor siŵr o'r amser y clywodd y sgrech. Yna doedd Mrs Emanuel ddim yn bendant ar ba ddyddiad y clywsai'r sgrech. Doedd Mrs Evans ddim yn hollol glir wedyn o ba sied y daethai'r sŵn.

Oedd, roedd pethau'n edrych yn ddu ar Harold Jones bach, ond nid mor dywyll wedi'r cyfan.

Pan alwodd ei gyfaill Edmund (Teddy) Clisset arno am chwech o'r gloch yn y siop doedd dim byd anarferol ynghylch ymddygiad Harold Jones. Cyfarfu'r bechgyn yn ddiweddarach eto yr un noson. Dywedodd Harold ei fod e wedi anghofio cloi sied Mortimer a gofynnodd i Clissett ddod gydag ef i'w gloi ond iddo beidio â dweud wrth Mr Mortimer rhag ofn iddo gael stŵr ganddo. Y tu ôl i'r Metropole cyfarfu Harold a Clissett â Meyrick a Gravenor ac aeth y bechgyn i gyd i'r sied. Aeth Clissett a Harold i gloi'r sied, yn wir aeth y ddau i mewn yn y tywyllwch. Pan ymunodd Harold a Clissett â'r ddau arall wedyn gwelsant griw o ddynion yn chwilio am Freda Burnell. Roedd y dynion yn chwerthin, felly tybiai Meyrick eu bod nhw wedi dod o hyd i'r ferch.

Ar eu ffordd adre daeth Harold a Clissett o hyd i ddarn o sach â mân us arni. Gwnaed yn fawr o'r sach hon yn yr achos gan awgrymu mai hon oedd y sach a ddefnyddiwyd i gario corff y ferch ynddi. Ond rhoes Clissett y sach i'w dad, a oedd yn *upholsterer*, i'w defnyddio ar gelfi. Ar y nos Fercher daeth Harold Jones a Gravenor i gartref Clissett a gofyn am y sach i'w rhoi i'r heddlu, ond roedd ei dad eisoes wedi'i defnyddio ar gadeiriau.

Ar noson y llofruddiaeth aethai Clissett i'r sinema cyn ailymuno â Harold Jones yn nes ymlaen. Wedyn aeth y ddau gyda'i gilydd i dŷ

Burnell i holi am newyddion ynghylch Freda.

Yn ystod croesholiad Clissett daeth yn amlwg fod yr heddlu wedi pwyso'n drwm ar y bachgen i ddweud bod Harold Jones wedi sôn am y llofruddiaeth, ond yn y llys taerodd Clissett nad oedd ei ffrind wedi dweud dim wrtho.

Roedd yn amlwg hefyd fod yr heddlu wedi pwyso ar Levi Meyrick gan awgrymu'i fod yn euog o geisio amddiffyn y llofrudd. Roedd dulliau'r heddlu o drin pobl ifainc yn galetach yn 1921 nag yn ein dyddiau ni, hyd yn oed.

Ar ddiwedd y gwrandawiad hwn datganodd Harold Jones unwaith eto nad oedd yn euog. Serch hynny fe'i hymrwymwyd ar brawf yn y brawdlys nesaf yn Nhrefynwy.

Ym mis Mehefin 1921, hebryngwyd Harold Jones i Neuadd y Sir, Mynwy, lle'r oedd torf enfawr yn ei ddisgwyl. Aed ag ef mewn cerbyd modur. Ac am y tro cyntaf yn hanes y brawdlys, hebryngwyd yr holl dystion (deg ar hugain ohonynt) o Abertyleri i Drefynwy mewn *char-a-banc*.

Gorchuddiwyd ffenestri cerbyd Harold Jones â bleindiau coch. Gorchuddiwyd ei ben â hances wrth iddo ddod allan o'r cerbyd, ond wrth iddo ddringo grisiau'r neuadd cododd yr hances a gwenu'n siriol gan ddangos, unwaith eto, ei ddiniweidrwydd naturiol. Fe'i cyfarchwyd gan ei fam: yn fuan ar ôl i'r barnwr gymryd ei sedd cododd menyw yn yr oriel (a oedd dan ei sang), gwên yn pelydru o'i hwyneb, a gweiddi lawr at y bachgen, 'Hylô 'machgen i!' Atebodd Harold Jones gyda gwên ac 'Hylô, Mam!' Ond wedyn gadawodd Mrs Jones gan na allai ddioddef gwylio prawf ei phlentyn. Pethau fel hyn a enynnodd gydymdeimlad y cyhoedd.

Roedd y prawf, yn naturiol, yn fanylach o lawer na'r gwrandawiad blaenorol. Mr Justice Bray oedd y barnwr ac yn y rheithgor roedd saith dyn a phum menyw.

Un o'r tystion pwysicaf y tro hwn oedd William Greenway, a oedd yn lletya yng nghartref Harold Jones ar noson y llofruddiaeth; yn wir, roedd e'n rhannu'r un gwely â'r llanc. Unwaith eto roedd lle i gredu bod yr heddlu wedi dwyn pwysau ar Greenway i roi tystiolaeth yn erbyn Harold Jones. Ond roedd Greenway yn gadarn fel y graig. Doedd e ddim wedi sylwi ar unrhyw newid yn ymddygiad Harold y noson honno. Pan ddihunodd Greenway ar y dydd Sul roedd Harold yn cysgu'n sownd a byddai hi wedi bod yn amhosibl, meddai

Greenway, i'r llanc godi yn ystod y nos heb ei ddeffro.

Parhaodd yr achos am bedwar diwrnod. Roedd crynhoad y barnwr o'r holl dystiolaeth yn gytbwys ac yn deg. Ymneilltuodd y rheithgor am 15.45 a dychwelyd am 17.08.

Gofynnodd y clerc: 'A ydych i gyd yn gytûn ar eich dyfarniad? Beth ddywedwch chwi?'

Y fforman: 'F'arglwydd, yr ydym yn cael y carcharor yn ddieuog.'

Pan ddaeth y llanc allan o Neuadd y Sir roedd yno dorf i'w groesawu ac aeth bloedd drwyddi 'Dyna fe!' ac fe'i hamgylchynwyd gan gyfeillion, ei deulu a chefnogwyr. Yn ddiweddarach y noson honno cafodd ei groesawu yn Abertyleri fel arwr.

Er gwaethaf gofid y prawf roedd Harold Jones wedi magu pwysau, fel petai'n cael mwy o fwyd yn y ddalfa. Rhaid bod ei arhosiad yno wedi ymddangos fel gwyliau iddo. Yn amlwg roedd e'n gorfod gweithio'n galed yn siop Mortimer, o naw yn y bore tan chwech yn y nos, chwe diwrnod yr wythnos ac yn gorfod rhedeg ar neges ar hyd y dref a chario sachau trwm.

Ond pwy oedd y llofrudd? Beth am y dieithryn hwnnw a aeth i gael brecwast yn y Blaenau a rhedeg i ffwrdd pan welodd ferch arall? Beth am Mortimer?

Beth bynnag, roedd Harold Jones yn rhydd unwaith eto. Tynnwyd llun ohono yn gwisgo siwt newydd, ffon yn ei law, planhigyn mewn pot wrth ei ochr, cadwyn ar draws ei fol newydd. Dyn bach crand.

Sut oedd e'n teimlo wrth gerdded o gwmpas y dref unwaith eto? Sut oedd pobl y dref yn edrych arno?

A beth oedd teimladau Mr a Mrs Burnell wrth ei weld e, a'u merch fach yn y bedd a neb wedi cael ei gosbi am ei threisio a'i lladd?

Cychwynnwyd cronfa, i dalu am amddiffyniad Harold Jones a gostiodd dros £600, gan Aldramon A. Meek, B. Gill, Isaac Webb, W. Lane a John Snellgrove. Ychydig o bobl aeth i'r cyfarfod i lansio'r apêl dan gadeiryddiaeth James Tovey yn Neuadd y Gymnasium, Abertyleri. Roedd rhywun o wlad Belg wedi gyrru 50 ffranc ond dim ond £90/10/5c oedd wedi'u codi gan bobl y dref. Bu Mr Jones, tad Harold, yn gweithio yn y lofa ond bu honno'n segur ers un wythnos ar bymtheg. Dywedodd Theophilus Davies ei fod yn falch:

> *... that the lad had been found innocent by a jury of the people of his own country, and he did not believe that Abertillery people would be lacking in*

*the hour of need for the parents who had to pay a large sum despite the fact
that their son's character had been vindicated.*

Ychwanegodd Mr Snellgrove:

. . . *they should all make somebody else's troubles their own, and show
practical sympathy. No one knew but that their own son might be the next
to be in a similar position.*

Cyhoeddodd y cadeirydd fod cystadleuaeth *stopwatch* wedi'i threfnu
a bod perchenogion y sinemâu i gael eu hysbysu.

Dair wythnos ar ôl i Harold Jones gael ei ryddhau aeth Florence
Little (11) ar goll. Roedd 'na deimlad o *déjâ vu* ynglŷn â'r digwyddiad.
Bu Florence Little (4 Darran Road) yn chwarae yn yr heol gyda Flossie
Jones, chwaer Harold Jones. Aeth ei thad i alw arni i fynd i'r gwely am
9.30 ond nid oedd sôn amdani. Gan fod diwedd trist Freda Burnell yn
dal i fod yn ddigon byw yn y cof, ffurfiwyd criw mawr o bobl i chwilio
am Florence Little mewn byr o dro.

Penderfynodd yr heddlu y dylid chwilio holl dai Darran Road gan
nad oedd modd i'r ferch fynd yn bell heb iddi gael ei gweld. Dyna sut
y bu iddyn nhw ddod i rif 10 Darran Road, lle'r oedd Harold Jones yn
byw. Aeth PC Cox i mewn i'r tŷ a mynnu'i archwilio o'r to i'r gwaelod,
a phan aeth i fyny i'r nenlofft dyna lle'r oedd corff Florence Little.

O fewn y dyddiau nesaf bu farw tad-cu'r ferch, Arthur Little, yn
Oakdale. Bu'n dioddef gyda'i galon ers tro, ond hyrwyddwyd ei
ddiwedd, fe dybid, gan y newyddion ofnadwy am ei wyres.

Unwaith eto gwadodd Harold Jones iddo fod ag unrhyw ran yn y
trosedd. *'I never done it,'* meddai. Eto.

Anfonwyd llythyr di-enw at Harold Jones o Lundain. Roedd 'na
ddarlun o ddagr yn y llythyr a'r geiriau *'Beware! Vengence! Vehme
Gericht'.*

Roedd hi'n anodd i gefnogwyr Harold Jones gynnal unrhyw ffydd
ynddo nawr. Dilëwyd yr apêl i godi arian at yr achos blaenorol a
phenderfynodd y pwyllgor beidio ag ymhél â'r achos newydd.

Dywedodd Mr Jones, *'His mother is broken hearted and so am I'.*

Cynhaliwyd cwest a chafwyd stori Mrs Little yn galw yn 10 Darran
Road i ofyn ble'r oedd ei merch. Daethai Harold ati yn gwisgo dim
ond ei drywsus. Roedd e'n cael bàth, meddai, ac nac oedd, doedd
Florence ddim yno.

Roedd cyflwr di-grys Harold Jones yn bwysig iawn. Yn nes ymlaen dywedodd wrth ei fam ei fod e wedi 'cwympo' ei grys yn y dŵr a bod arno angen rhywbeth arall i'w wisgo.

Crëwyd tipyn o ddrama yn y llys pan alwyd ar Flossie Jones (9), chwaer fach Harold. Dywedodd ei thad ei bod hi'n 'dioddef gan ei nerfau' a'i bod hi'n 'pallu wynebu'r heddweision'. Mae hyn yn awgrymu eto fod yr heddlu wedi dwyn pwysau ar y tystion, hyd yn oed y plant; ond a bod yn deg, hwyrach fod rhywun arall wedi bygwth y ferch fach i gadw'n dawel. Ni ddangosodd y crwner unrhyw dynerwch a mynnai fod y ferch yn dod gerbron y llys.

Ymddangosodd Flossie Jones yn nes ymlaen, yn ei dagrau. Ond dagrau neu beidio, fe holwyd ei pherfedd yn ddidrugaredd. Y peth pwysicaf a ddaeth o'i thystiolaeth oedd bod Florence Little wedi dod i'r tŷ. Ymadawodd Florence â Flossie yn y gegin gefn. Aeth Flossie Jones allan drwy'r drws ffrynt i alw ar ei modryb ac roedd hi dan yr argraff fod Florence wedi mynd allan drwy'r cefn i'w chartref ei hun. Ond pwy oedd yn y gegin gefn pan ymadawodd y ddwy ferch â'i gilydd, ond Harold Jones.

Yn y diwedd rhwymwyd Harold Jones i sefyll ei brawf yn y brawdlys nesaf. Erbyn hyn roedd yn seren o fath od iawn drwy Brydain. Ysgrifennai merched lythyron serch ato, er mor anhygoel yw hynny. Ond cyn ei brawf clywyd si fod y llanc wedi cyfaddef iddo gyflawni'r llofruddiaethau. Cysylltodd y *South Wales Gazette* â W.J. Everett, cyfreithiwr Harold Jones ar Hydref 28ain, 1921, ond dywedodd hwnnw na allai gadarnhau na gwadu'r honiadau.

Pan agorodd y prawf yn Nhrefynwy ym mis Tachwedd, plediodd Harold Jones yn euog. Mewn trafodaeth â chaplan y carchar lluniasai'r cyfaddefiad hwn:

Yr wyf i, Harold Jones, yn cyffesu i mi lofruddio Flora Little yn fwriadol ac yn bwrpasol ar Orffennaf yr wythfed. Gan achosi iddi farw heb ei pharatoi i gwrdd â'i Duw. Y rheswm dros wneud hynny oedd yr awydd i ladd.

Cyfansoddodd y darn uchod dan arweiniad a chyda chymorth y caplan. Y caplan, yn wir, a awgrymodd wrtho y dylsai ddweud pam y cyflawnodd y weithred. Ond lluniodd y darn nesaf o'i ben a'i bastwn ei hun:

Roedd Flora ar fin gadael y tŷ pan gydiais ynddi a gafael ynddi gerfydd ei gwddwg, a thorri'i gwddwg gyda chyllell, yn y gegin gefn, gan ddodi'i phen dros y bosn, yna etha i i'r rhwm ffrynt gan adael corff Florence Little yn y bosn, detha i yn ôl i'r gegin gyda chrys a'i lapio am ei phen, yna cariais y corff lan llofft.

Yna cesa i ford fach mas o'm stafell i. Yna dodais i'r corff ar y ford, yna esa i lan ar y ford fy hunan, yna cydiais yn y corff dan y breichiau gan dreio i wthio drwy'r twll i mewn i'r nenlofft, yna dodais i'r corff yn ôl ar y ford, ac esa i lawr llawr i nôl rhaff o'r tu fas yn yr iard gefn. Yna esa i 'nôl lan llofft a chlymu'r rhaff o gwmpas y corff. Yna dringais i lan ar y ford a thynnu fy hunan drwy'r twll, yna gollyngais y rhaff drwy'r twll gyda diwedd y rhaff yn fy llaw, wrth i mi weld nad oedd digon o raff i fynd drwy'r twll fe neidiais i lawr i'r ford eto a chlymu fy nisied i'r rhaff.

Yna fe ddringais yn ôl drwy'r twll a llusgo'r corff lan i mewn i'r nenlofft. Yna ar ôl mynd ar y ford dodais y clawr yn ôl, clawr y twll, yna dodais i'r ford yn ôl yn fy stafell ac esa i lawr llawr i gael bowlen o ddŵr a chlwtyn a mynd â nhw lan llofft i olchi'r marciau gwaed ar y wal ar y landin ac ar y ford.

Yna esa i lawr grisiau i nôl cannwyll a ffeindio rhagor o farciau gwaed a'u golchi nhw i ffwrdd, yna esa i lawr grisiau a thaflu'r dŵr o'r fowlen i'r bosn. Wrth inni gael bàth daeth Mrs Little i'r drws wrth i mi olchi fy mhen a rhan ucha fy nghorff. Gwadais fod Flory yn y tŷ. Yna esa i yn ôl i gwpla fy màth.

Yr wyf yn dywedyd yma fod y datganiad uchod yn wir.

Harold Jones

Oerni gwrthrychol a diemosiwn y datganiad sy'n ein taro ni, a'r cof clir ynglŷn â manylion a manion a threfn ei symudiadau a'i weithredoedd. Mae'r obsesifrwydd yn gorlifo i'r iaith ailadroddus, pob 'yna' ac 'yna' yn curo fel gordd. Gwelir hefyd ddawn y bachgen i ddatgysylltu'r hunan oddi wrth y sefyllfa a'r gwirionedd arswydus; ni cheir un awgrym o ofn nac o edifeirwch nac o wrthuni.

Pan ddaeth Mrs Little yn ei phryder i holi am ei merch fach, gan dorri ar draws Harold Jones yn golchi'r gwaed, roedd e'n gallu siarad â hi'n glir ac ymddwyn yn ddifater. Roedd e'n gallu ymuno â'r criw o bobl a oedd yn chwilio am y ferch yn nes ymlaen y noson honno – yn union fel yr aethai i alw ar Mr a Mrs Burnell ddwywaith i ofyn am newyddion ynglŷn â'u merch hwy, fel petai'n poeni amdani.

Lluniodd Harold Jones ei gyffes ar Fedi 17eg, tua deufis cyn y prawf, a'r un diwrnod lluniodd un arall (eto, dan gyfarwyddyd y caplan):

Gwneuthum i, Harold Jones, lofruddio yn fwriadol ac yn bwrpasol Freda Burnell yn ystordy Mr Mortimer ar Chwefror y pumed.

Harold Jones

Derbyniodd y barnwr ble Harold Jones a chan ei fod dan un ar bymtheg oed fe'i dedfrydwyd i gael ei gadw hyd pleser ei fawrhydi. Gwrthodwyd ystyriaeth o amddiffyniad ar sail gwallgofrwydd gan na chawsai'r mater ei godi yn yr achos blaenorol nac yn yr ail achos tan yn hwyr iawn, a hynny ar ôl darllen y cyfaddefiadau. Dywedodd y barnwr ei fod e'n fodlon bod y llanc yn ei iawn bwyll yn ôl tystysgrif y meddyg.

Clywodd y llys fod yr heddlu wedi chwilio dillad y bachgen pan gymerwyd ef i garchar i aros ei brawf yr ail dro, ac yn un o'i bocedi cafwyd saith o hancesi menywod. Ysgogwyd atgofion pobl Abertyleri gan y manylyn hwn am yr holl ferched a fygythiwyd yn yr ardal ac am Mrs Higgins a gawsai ei thrywanu yn ei chefn yn Darran Road ychydig cyn y llofruddiaethau. Ai Harold Jones oedd y cythraul y tu ôl i'r achosion hyn hefyd?

Pan oedd Harold Jones yn aros ei ail brawf, anfonwyd llythyr at ei rieni yn dweud:

It was me that killed the girl (Florence Little) and I put the body in your house, and am Irish lad and have been working in Wales and am a (Sinn Feiner) and think it very right to kill all I can of England lad and girls. I hope that your son will be allright and get off.

Ond os bu rhai yn barod i gredu yn niniweidrwydd Harold Jones ar ôl yr anfadwaith cyntaf, collasant eu ffydd ynddo yn syth pan gysylltwyd ei enw â'r ail lofruddiaeth. Pan gymerwyd ef i ffwrdd ar ôl y gwrandawiad cyntaf mewn modur caeëdig, amgylchynwyd y car gan dorf o bobl – y rhan fwyaf ohonynt yn fenywod – a boerodd arno a gweiddi enwau arno a'i felltithio. Yn 1921 yn Abertyleri fe welwyd golygfeydd tebyg i'r rhai yn Lerpwl pan ddygwyd y bechgyn a laddodd James Bulger ymaith. Ond er bod y dorf yn gweiddi am ei waed, edrychodd Harold Jones arnynt yn ddifraw ac yn ddifater.

Beiwyd (ymhlith pethau eraill) ych-a-fideos (*video nasties*) am andwyo meddyliau llofruddion ifainc James Bulger. Ond beth oedd ar fai yn achos Harold Jones yn yr oes honno cyn y ffilmiau drwg?

Wrth i achos Harold Jones ddirwyn i ben roedd sgandal Fatty Arbuckle yn dechrau codi stêm yn America. Roedd Arbuckle ar y pryd bron mor boblogaidd am ei ffilmiau comedi â Charlie Chaplin. Yna fe'i cyhuddwyd o ddynladdiad. Ar ôl achos hir iawn cafodd Arbuckle ei ryddfarnu, ond yn wahanol i Harold Jones y tro cyntaf hwnnw, ni throes wynt y cyhoedd o'i blaid, nid oedd y bobl yn credu ynddo a daeth ei yrfa sinematig i ben i bob pwrpas. Roedd hi'n hanfodol i ffilmiau a'u sêr fod yn lanach na glân y pryd hynny.

Dygwyd Harold Jones ymaith yn 1921 a phrin fod neb yn cofio am y llanc o Abertyleri a lwyddodd i gael ei ryddfarnu o lofruddiaeth dim ond i gael ei lethu unwaith eto gan – chwedl yntau – 'yr awydd i ladd' – a dod wedyn, yng ngeiriau y *South Wales Gazette*, yn ganolbwynt '. . . *one of the most sensational criminal trials on record'*.

Y Tân yn yr Awyr

Hanes Rhyfedd Mrs Mary Jones, Islaw'r Ffordd

Pan fu farw ei mab, newidiodd Mary Jones, Islaw'r Ffordd yn llwyr. Bu'n aelod ffyddlon yn Eglwys Galfinaidd Dyffryn am bymtheng mlynedd, ond ar ôl y brofedigaeth lem hon yn anfynych yr âi i addoliad. Methai'n glir â bodloni i'r drefn. Tybiai fod yr Arglwydd wedi bod yn annheg wrthi. Serch hynny, chwiliai am nerth i ddal ati. Roedd hi'n anodd, yn enwedig ar ôl iddi golli'r plentyn.

Er mwyn ei gŵr ac Annie a'r fferm roedd hi'n gorfod dal ati. Ac fel rhan o'i hymdrech darllenodd eiriau gwŷr doeth, yn eu plith lyfr gan Sheldon, *Yn Ei Gamau Ef.* Yna daeth hanes y Diwygiad yn neheudir Cymru a darllenai am Evan Roberts – erthyglau Dr D.M. Phillips gan fwyaf – gyda blas.

Yna dechreuodd weddïo eto, o'r newydd. Ac fe ddaeth newid i bersonoliaeth Mary Jones. Gweddïai am gael bod yn offeryn yn llaw yr Arglwydd er mwyn 'dychwelyd' ei phriod a'i pherthnasau a'i chymdogion.

Yn nechrau mis Rhagfyr 1904 cymerodd Mary Jones ran gyhoeddus yn y moddion am y tro cyntaf erioed. Roedd hwn yn drobwynt oherwydd cyn hynny, yn ôl ei thystiolaeth ei hun, *'nervous* iawn oeddwn erioed. Nis gallwn gymaint â dyweyd adnod yn y Seiat heb fy mod yn crynu'. Y noson honno cafodd weledigaeth. Dywedwyd wrthi nad iddi hi ond i un o'i chymdogion y rhoddwyd y fraint o gael bod yn foddion dychwelyd trigolion y cylch. Aeth Mary Jones at y gymdoges honno drannoeth a mynegi'r weledigaeth iddi. Ni wyddys enw'r fenyw hon a rhaid rhyfeddu nad aeth yr Arglwydd yn uniongyrchol ati hi yn lle gofyn i Mary Jones drosglwyddo'i neges. Beth bynnag, dywedodd y gymdoges wrth Mary Jones 'Nis gallaf byth ei wneud'.

Yr oedd hyn fore Llun, Rhagfyr y 5ed, 1904. Y noson honno gwelodd Mary Jones y Goleuadau am y tro cyntaf. Aeth i ysgoldy Egryn. Adroddodd hanes y weledigaeth a dywedodd fod ei chymdoges wedi gwrthod yr anrhydedd a bod yr Arglwydd yn trosglwyddo'r fraint iddi hi.

Pan welodd y Goleuadau y tro cyntaf hwnnw, yn anferth ac yn llachar uwch ei phen ac yn troi'r nos yn ddydd o'i chwmpas, fe'i brawychwyd trwyddi. Ond yn drech na'r awydd i ffoi oedd swyn y tân yn yr awyr. Gallai deimlo gwres yn dod ohono a theimlai'n ddiogel wrth iddi sefyll oddi tano. Treiddiai'r goleuni nid yn unig y tywyllwch allanol gaeafol y noson honno, aeth hefyd i'w hysbryd unig, galarus, trist. Aeth hithau i mewn iddo ac ar yr un pryd daeth y Golau i mewn i'w chalon hithau. Fe'i gweddnewidiwyd. Nid gwraig ffarm ddinod mohoni mwyach, eithr proffwydes.

Dywedodd wrth ei gŵr yn gyntaf, yn naturiol, ac wrth Annie. Afraid dweud roedden nhw'n ei hamau ar y dechrau gan ofni'i bod wedi colli'i phwyll. Ble buodd hi, wedi'r cyfan, heb ddweud gair wrth y naill na'r llall? Ond ar ei hanogaeth daethant allan i iard y ffermdy a phwyntiodd Mary Jones i'r awyr, ac yno uwch eu pennau yr oedd y goleuni y bu hi'n sôn amdano, fel seren dlos agos.

Drannoeth aeth y teulu i'r capel ac er mawr syndod i'r cymdogion dechreuodd Mrs Jones sefyll a phregethu a sôn yn angerddol am ei gweledigaeth. Ac yno am chwech o'r gloch y noson honno fe welwyd y Goleuadau yn yr awyr uwchben y capel gan lawer o bobl. Ni allai neb amau tystiolaeth ei lygaid ei hun.

Yn fuan aeth y si ar led am Mrs Jones a'r digwyddiadau rhyfedd hyn. Dywedid ei bod yn arwain cyfarfodydd yn y capel bob nos bellach a bod yr 'arwyddion' yn ymddangos yn gyson. Ac o'r dechrau fe'i cysylltid hi â'r Goleuadau fel petaent yn rhan annatod ohoni.

Nos Sul, Rhagfyr 11eg, 1904. Roedd Mrs O. Williams yn mynd o gwmpas ei phethau, yn wir yn gorffen tasgau'r dydd. Agorodd ddrws y tŷ tua saith o'r gloch er mwyn mynd i'r beudy pan welodd 'golofn o niwl heb fod yn llydan iawn yn ymddyrchu oddi ar faes ger Egryn i'r entrych. Yr oedd,' meddai Mrs Williams, 'megis pe yn cael ei oleuo gan ryw oleuni mewnol ac yn amryliw'. Fe'i dychrynwyd a chaeodd y drws a mynd yn ôl i'r tŷ. Dan grynu aeth i eistedd. Ond ymhen ychydig ymwrolodd ac aeth i agor y drws eto ac roedd y golofn yno o hyd. Edrychodd arni am ryw chwarter awr cyn iddi ddiflannu fesul tipyn.

Felly, nid Mrs Jones, Islaw'r Ffordd oedd yr unig un yn yr ardal i weld pethau anghyffredin yn yr awyr ac nid oedd rhaid bod yn ymyl Mrs Jones i'w gweld nhw chwaith. Serch hynny, fe gysylltid y ffenomenon â'i henw hi a chredid yn gyffredinol fod ganddi ryw reolaeth dros y rhyfeddodau.

Un a gymerodd gryn ddiddordeb ym Mary Jones a'r

digwyddiadau hynod yn ardal Egryn oedd y Parchedig Garrett Roberts, gweinidog gyda'r Wesleaid. Dyn o anian chwilfrydig iawn oedd Roberts a phan glywodd am y Goleuadau gan ei gymdogion (roedd e'n byw yn Abermo) fe'i meddiannwyd gan yr awydd i weld drosto'i hun.

Nos Sul, Rhagfyr 18fed, 1904, roedd e'n pregethu yn Bezer, ger Llanbedr, ac yn aros y noson honno gyda Mr a Mrs Edwards, Talwrn. Penderfynodd y cerddai i Islaw'r Ffordd fore Llun. Cychwynnodd yn blygeiniol. Wrth iddo fynd trwy'r Dyffryn gwelodd Mr John Jones, Bryn yr Ysgol, blaenor gyda'r Wesleaid yn y Dyffryn. Dywedodd wrtho ei fod yn bwriadu ymweld â Mrs Jones a'i gymell i fynd gydag ef ac fe aeth. Wrth iddynt ddod at y tŷ gwelent Mr Jones (gŵr Mary Jones) yn yr iard. Ffermwr cyffredin, gŵr cryf o ychydig eiriau. Ffigur y cysgodion yn hanes y Goleuadau. Serch hynny, hysbysodd yr ymwelwyr fod ei wraig adref ac y byddai'n dda ganddi eu gweld ac er llawenydd i'r ddau fe'u harweiniwyd i'r tŷ.

Roedden nhw'n eistedd yn y stafell glyd wrth y tân, cŵn tsieina gwyn ac oren yn eistedd yn browd ar bob pen i'r silff-ben-tân, pan ddaeth Mrs Jones atynt. Fe siomwyd Garrett Roberts a fu'n dychmygu sut un fyddai'r 'broffwydes', ac yn disgwyl dirnad rhywbeth hynod a goruwchddynol o'i chwmpas. Yn lle hynny gwelodd ffermwraig seml rhwng 35 a 38 mlwydd oed, menyw dal ond tenau, ei gwallt yn dechrau britho, ei llygaid tywyll yn siriol yn ei hwyneb hir – wyneb braidd yn ddiolwg, yn anffodus, afraidd neu'n geffylaidd braidd.

Yn syth aethant i sôn am y Diwygiad. Bu Mrs Jones yn dilyn pob symudiad o eiddo Evan Roberts o'r cychwyn a darllenai erthyglau D.M. Phillips amdano gydag awch. Yna aethant i sôn am y Goleuadau, heb hel dail. Er syndod i Garrett Roberts, braidd yn ddidaro oedd agwedd Mrs Jones tuag atynt: 'Siaradai Mrs Jones amdanynt megis pe siaradai am y sêr neu rhyw oleuadau hollol naturiol eraill. Nid amlygai unrhyw ryfeddod na chyffro wrth gyfeirio atynt.' Dywedodd Mary Jones wrth Mr Roberts ei bod hi'n credu taw 'arwyddion nefol' oedd y Goleuadau. Mynegodd yntau ei awydd i'w gweld nhw ei hunan. 'Wel,' meddai hi, 'pe y gallech ddod yma ryw gyda'r nos at y chwech o'r gloch yma, fe gaech ei weld, oblegid fe'i gwelir bob nos tua'r chwech o'r gloch.' Mor siŵr oedd Mrs Jones ohonynt, fel petaent yn rhedeg fel trenau i amserlen. Yn wir, yn ôl un esboniad, goleuadau trên oeddynt mewn gwirionedd. Ond fel y cawn weld yn nes ymlaen, nid oedd eu hymddygiad na'u perfformiad yn ddim byd tebyg i oleuadau trên. Ar wahân i hynny, ar un achlysur nodedig, fe'u gwelwyd yn yr awyr yn saethu i ddeg cyfeiriad gwahanol gan ddynion ar y trên lleol ar y pryd, ac yn eu plith roedd gyrrwr y trên ei hun – gŵr o Fachynlleth.

Beth bynnag, ddydd Mawrth, Rhagfyr 20fed, 1904, cychwynnodd y Parchedig Garret Roberts a'i wraig am Islaw'r Ffordd. Erbyn iddynt gyrraedd yno yr oedd dyn ifanc yno'n aros yn barod, sef Mr J. Meirion Williams, Abermo, pregethwr cynorthwyol gyda'r un enwad â Garrett Roberts. Yno hefyd roedd Mr a Mrs Jones ac Annie eu merch a oedd yn ddeuddeg oed. Yn nes ymlaen ymunodd Mr Williams Cae'r Ddaniel â nhw, 'amaethwr parchus o'r ardal . . . llawn o dân y Diwygiad (perthynas i'r Parch. Barrow Williams Llandudno)' yn ôl Garrett Roberts. Daethai yntau yno ar yr un neges â'r lleill, sef i weld y Goleuadau.

Tua chwech o'r gloch dywedodd Mary Jones ei bod yn bryd iddynt gychwyn. Aeth y cwmni i gyfeiriad Egryn. Wedi iddynt fynd rhyw bedwar can llath o'r tŷ gwelsant oleuni disglair i gyfeiriad Abermo. 'Dacw un o'r Goleuadau!' meddai Mrs Jones.

'Tybed nad goleuni lamp beisicl ydyw?' oedd ymateb Garrett Roberts yn gyntaf.

'O, nage,' meddai Mrs Jones, 'y mae i'w weld bob nos yn dod o'r cyfeiriad yna at y capel.' Yna fe welodd y criw olau arall yn nes atynt, rhyngddynt a'r mynydd. 'Dacw un arall ohonynt,' meddai Mrs Jones, 'sylwch ar hwn acw, ac fe gewch ei weld yn raddol ddiffoddi.' A gwireddwyd ei geiriau. Yn ôl Garrett Roberts:

wedi sylwi arno am ryw ddau funud fe'u gwelem yn lleihau ac wedi iddo fyned gryn dipyn yn llai fe'i gwelwn ef yn mynd yn gyflym am gryn dipyn o bellter i gyfeiriad y capel. Elai gyda chyflymder nas gallasai yr un dyn ei gario, pe yn rhedeg yn bur gyflym. Yr wyf yn argyhoeddedig nad llusern ydoedd, gan na ellid cario llusern gyda'r fath gyflymder. Gwelwyd y Goleuadau hyn gan bawb yn y cwmni. Yr oeddynt oll yn eu gweled yr un fath.

Mae'r hyn a ddywedodd Garrett Roberts nesaf yn dra phwysig gan ei fod yn chwalu un o'r hoff esboniadau gwyddonol am y Goleuadau: 'Nid uwchben cors wlyb, fel nad allasai fod yn *marsh gas*, ond ar ochr y mynydd y gwelwyd ef.' Hyd yn oed ar ôl y dystiolaeth graff hon y mae sawl un wedi wfftio'r Goleuadau fel 'nwy cors'. Ond fe gafodd pawb yn y cwmni y noson honno ei synnu gan y Goleuadau. Dychrynwyd y menywod, ac eithrio Annie a'u gwelsant o'r blaen, a theimlai Mrs Jones yn falch fod yr arwyddion yn cael eu gweld gan bobl eraill. Mewn geiriau eraill, nid rhywbeth yn ei phen hi'n unig mo'r Goleuadau.

Erbyn iddynt gyrraedd y capel yr oedd wedi'i orlenwi. Safai nifer mawr o bobl y tu allan hyd yn oed. Gyda chryn drafferth y llwyddodd Mrs Jones i fynd i mewn i'r Sêt Fawr; hyhi oedd yn arwain y cyfarfod. Yn wir, hi oedd yn arwain pob cyfarfod a gynhelid yn Egryn y pryd hynny, er y deuai llawer o alwadau arni am ei gwasanaeth yn sir Feirionnydd a siroedd eraill. Fel y dywedodd Mrs Jones ei hun, 'Y mae yn syn meddwl fy mod i'n arwain cyfarfodydd; yn wir, fy mod yn gallu cymryd rhan gyhoeddus o gwbl'.

Ond roedd hi'n gallu wynebu dros bymtheg cant o gynulleidfa heb fod arni'r arswyd lleiaf ar ôl iddi fod yn y Golau mawr hwnnw a welsai ar y 5ed o Ragfyr 1904. Beth bynnag am Evan Roberts, roedd ganddi hi ei Diwygiad ei hun yn y gogledd, Diwygiad gydag arwyddion. Serch hynny, y dyn ifanc llygatlas o'r de a gâi'r sylw i gyd, bron, Goleuadau neu beidio. Hwyrach y sawrai 'arwyddion' o Babyddiaeth? Er gwaethaf y dystiolaeth, 'Nid rhyw un neu ddau o bersonau,' chwedl Garrett Roberts, 'ond ugeiniau, os nad cannoedd; ac ymhlith y llu o dystion y mae dynion o gymeriad diamheuol, dynion dysgedig, diwylliedig eu meddyliau, dynion pwyllog, yn cynnwys gweinidogion yr efengyl o wahanol enwadau, blaenoriaid ac yn y blaen,' amharod iawn oedd y byd y tu allan i gylch Egryn i dderbyn eu gair.

Nos Sul, Nadolig 1904. Nifer o ddyddiau ar ôl profiad ei wraig, sylwer, roedd Mr Owen Williams a'i frawd, Mr William Williams, Ysgarnolwyn, Talsarnau, yn sefyll heb fod ymhell o ysgoldy Egryn pan welsant ddau olau disglair tebyg i ddwy belen o dân ychydig bellter oddi wrth ei gilydd uwchben Egryn. Yna, gwelsant y ddau oleuni yn dynesu at ei gilydd nes iddynt fynd yn un. Yna yn ymwahanu eto i'r pellter blaenorol oddi wrth ei gilydd. Aeth hyn ymlaen nifer o weithiau nes i'r golau dorri allan 'megis mellten yn goleuo y meysydd cylchynol. Yr oedd hyn o deutu hanner nos'. Yma eto fe welwyd y Goleuadau ar wahân i Mrs Jones ac ar amser gwahanol i'w hawr arferol (sef chwech o'r gloch yr hwyr).

Gellid dadlau bod rhai yn gweld yr hyn y dymunent ei weld. Er enghraifft, roedd Mr William Rowlands yn gigydd yn Nhalsarnau ac yn aelod parchus gyda'r Methodistiaid Calfinaidd, yn ôl Garrett Roberts, ac 'yn ddyn ag y mae gan bawb a'i hadwaenant bob ymddiried yn ei dystiolaeth'. Nos Sadwrn, Ionawr 14eg, 1905, bu Mrs Jones yn arwain cyfarfod yng nghapel y Methodistiaid Calfinaidd, Talsarnau. Lledaenwyd y gair fod Mr Rowlands yn bwriadu danfon Mrs Jones adref gyda'i gerbyd y noson honno, a chan fod sôn drwy'r cylch y byddai'r rhai a arferai ddanfon Mrs Jones adref yn gweld y Goleuadau rhyfedd, aeth sawl un at Mr Rowlands yn gofyn iddo adael iddynt wybod pe byddai'n gweld unrhyw beth anghyffredin. Yn y cerbyd roedd Mrs Jones, Miss Evans o'r Dyffryn a Mr Griffith D. Parry, Llanbedr. Ond yr hyn sy'n bwysig yn yr achos hwn yw fod Mr Rowlands wedi dweud ei fod yn disgwyl gweld y Goleuadau. Dywedodd iddo feddwl:

Tybed a ydwyf yn yr ysbryd iawn yn disgwyl. Os oes y fath arwyddion yn canlyn y wraig hon, ac os ydwyf yn danfon un sydd wedi cael cenadwri arbennig oddi wrth Dduw.

Yna gweddïodd Mr Rowlands am gael gweld y Goleuadau, 'Os oedd y fath arwyddion i'w gweld, am i mi gael bod yn dyst ohonynt, dros yr Arglwydd a thros Mrs Jones'.

Yna aeth y cigydd ymlaen yn ei gerbyd gyda'r holl bobl eraill a Mrs Jones yn eu plith heb weld dim nes iddo gyrraedd Llanbedr. Wrth fynd drwy'r pentre hwnnw y pryd hynny deuid at allt eithaf serth a choed bob ochr i'r ffordd. Wrth fynd i fyny'r allt hon gwelodd Mr Rowlands olau disglair trwy frigau'r coed. Yna, ar ôl dod i ben yr allt ac allan o'r coed gwelodd 'gwmwl disglair ar y ffurfafen, cwmwl o gryn faintioli yn disgleirio'n danbaid fel golau trydan . . . Parai ei ddisgleirdeb i'r lloer ymddangos pe yn gwrido'. Hyd y gellir barnu roedd tystiolaeth y cigydd yn unigryw oherwydd iddo weld:

[c]roes yn ymffurfio arno, ac ar y groes gwelai berson mewn gwisg laes ddisglaer. Ymddangosai . . . megis o ddefnydd a lliw cydrhwng eiddo rhew ac eira. Ni welai wynebpryd y person o gwbl, er iddo ddymuno hynny yn fawr. Gwelodd y cwmwl am oddeutu ugain munud. Ond am tua pum munud y gwelodd yr hyn a eilw yn 'olygfa ogoneddus'. Yna dechreuodd y cwmwl yn raddol deneuo a darfod, ni symudai'r cwmwl o gwbl, ond diflannodd yn

ei unfan yn raddol.

Gwnaeth Mr Rowlands fraslun o'r olygfa mewn pensil i'w ddangos i Garrett Roberts ond, hyd y gwyddys, nid yw'r llun wedi goroesi.

Er mor ddiddorol yw'r disgrifiad hwn, mae lle i gredu taw profiad personol a goddrychol ydoedd gan na chofnodwyd gair am ymateb y teithwyr eraill y tro hwnnw. Roedd Mr Rowlands wedi paratoi ei hun i gael gweledigaeth ac fe gafodd un yn unol â'i ewyllys a'i ddymuniad. Ond hyd y gellir barnu ni rannodd neb arall ei brofiad y noson honno.

Yn wahanol i John Jones, Beudu Bach, a oedd yn ddyn ifanc iawn ar y pryd ac yng ngwasanaeth y cigydd, Mr Rowlands, a rannodd brofiad hynod o ryfedd gyda'i gyfaill Willie Thomas, Bryn Mair, Talsarnau. Nos Iau, Chwefror 9fed, 1905, aeth John Jones a Willie Thomas i Harlech gyda'r cerbyd. Cychwynasant tua chwech o'r gloch yr hwyr. Wrth iddynt ddod i Lechwedd edrychodd y bachgen, Willie, yn ôl a gweld golau disglair ar y ffordd, golau 'ar ffurf tarian'. Ni feddyliodd ar y pryd nad rhyw olau digon hawdd rhoi cyfrif amdano fel golau lamp ydoedd. Yna holltodd y golau yn ddau, yna'n dri ac yna uno eto. Tynnodd sylw John Jones ato. Daeth y golau ar eu hôl. Weithiau ymddangosai fel pe bai'n aros yn ei unfan, bryd arall deuai'n gyflym ar eu hôl. Dilynodd hwy fel hyn am ryw dair milltir ac wrth eu bod yn dod gyferbyn â ffermdy o'r enw Rhosigol, goddiweddodd hwynt. Yna fe ddigwyddodd un o'r pethau mwyaf arswydus ac anesboniadwy yn holl hanesion y Goleuadau: aeth y golau i mewn i'r cerbyd. Syrthiodd Willie Thomas ar ei wyneb ar waelod y cerbyd mewn braw a chollodd John Jones bob rheolaeth ar ei hunan. Carlamodd y ceffyl. Dyma ddisgrifiad y bechgyn ohono:

> Yr oedd y golau yn ddisglair fel eiddo goleu trydanol, ac fe fesurai
> . . . rhyw ddwy lath o hyd, ac oddeutu llathen o led yn y man lleta
> iddo.

Yma ceir tystiolaeth nid yn unig gan ddau unigolyn i'r un profiad ond ceir hefyd ddisgrifiad o ymateb y ceffyl. Yn yr achos hwn nid oedd Mary Jones yn agos at y digwyddiad chwaith, ac nid oedd yr amgylchiadau yn gysylltiedig â gwasanaeth crefyddol nac â'r Diwygiad.

Yr un noson, mewn man arall, tua hanner awr wedi deg o'r gloch, 'Heb ei fod ar y pryd yn meddwl o gwbl am y Goleuadau, ac yn wir, fel yr addefa ei hunan, heb fod yn credu ynddynt hyd hynny,' gwelodd Mr Evan Williams, Gwndwn, Talsarnau, olau disglair yn yr awyr i gyfeiriad y môr:

megis llestr mawr, heb fod yn annhebyg ei ffurf i gryd: un pen iddo gryn dipyn uwch na'r llall. O'r pen hwnnw, ymddyrchafai fflamau, ac yr ydoedd megis pe yr heuid tân ohono.

Galwodd Mr Williams ar ei wraig a daeth hithau at y drws ac edrychodd y ddau ar yr olygfa am ryw chwarter awr. Yn y diwedd 'gwelid cwmwl tywyll yn dynesu tuag ato, ac yn raddol ei guddio o'r golwg'. Nid golau yn syml sydd yn y disgrifiad hwn eithr rhywbeth ag iddo strwythur â fflamau yn dod ohono. Unwaith eto, dyma enghraifft lle nad oedd Mrs Jones yn gysylltiedig â'r achlysur o gwbl nac unrhyw weithgarwch Diwygiadol yn ei gylch.

Aeth gohebydd arbennig o'r *Daily Mail* i Feirionnydd ac aros yng nghymdogaeth y rhyfeddodau am rai dyddiau. Amheuwr ydoedd nes iddo weld y Goleuadau ei hunan ar nos Sadwrn, Chwefror 11eg, 1905. Yn Egryn am 20.20 y noson honno gwelodd:

megis pelen o dân uwchben yr ysgoldy. Yr oedd o liw melyn. Disgleiriai'n danbaid. Rhag ofn fy mod yn twyllo fy hunan gelwais ar ddyn oedd oddeutu can llath oddi wrthyf. Gofynnais a oedd efe yn gweled rhywbeth. Rhedai ataf yn gynhyrfus. 'Gwelaf! gwelaf!' meddai. 'Goleu mawr ydyw, uwchben yr ysgoldy y mae.' Ymddangosai y Goleu i mi fel pe oddeutu hanner can troedfedd uwchlaw yr ysgoldy. Llewyrchai gyda thanbeidrwydd trydan cydrhyngwyf a'r bryniau cylchynol. Diflannodd y goleu yn sydyn wedi parhau o hono am oddeutu munud a hanner. Arhosais yno heb weled dim wedyn hyd tua pum munud ar hugain i naw; pan y gwelais ddau oleuni, un o bob ochr i'r ysgoldy. Ymddangosent i mi fel pe oddeutu can troedfedd oddi wrth ei gilydd. Yr oedd y rhai hyn gryn dipyn yn uwch na'r lleill, oddeutu can troedfedd o uchder. Goleuasant yn danbaid am yn agos i ddeng eiliad ar hugain. Yna dechreuasant leihau. Wedi hynny goleuasant yn ddisgleiriach am oddeutu dau funud. Yna diflanasant yn llwyr.

Mae'r adroddiad byr hwn yn werthfawr am ei fod gan ŵr nad oedd dan dwymyn y Diwygiad; dieithryn i'r ardal a oedd yn benderfynol o sylwi yn fanwl ar unrhyw beth a welai.

Ym mis Chwefror hefyd aeth y newyddiadurwr Beriah Gwynfe Evans i gyfweld Mrs Jones. Ceir disgrifiad o'r cymeriad lliwgar hwn adeg cyffro Egryn gan E. Morgan Humphreys a gyfarfu ag ef yn un o gyrddau Evan Roberts yn Sir Fôn yn 1905:

> Trodd un o'r gohebwyr ataf, dyn byr, yn gwisgo côt lwyd laes, côt 'dau fotwm tu ôl' fel y gelwid hi mewn rhai ardaloedd, a het feddal, ddu. Yr oedd ganddo gadwyn aur ar draws ei frest a chaib fechan o aur yn crogi wrthi. Yr oeddwn wedi sylwi ei fod braidd yn hŷn na'r rhan fwyaf ohonom ni ohebwyr, a hefyd ei fod yn sgrifennu llawer iawn . . . sylwais hefyd ei fod yn sgrifennu'r cwbl gyda phensil blwm a honno wedi ei gwisgo a chôt o rwber trwchus nes ei gwneud gymaint deirgwaith o ffurf. Ychydig a siaradai â neb ond yr oedd yn craffu ar y gynulleidfa ac yn rhoddi argraff arnoch ei fod yn gweled ac yn sylwi ar bob peth.

Ac yn ôl Humphreys, Beriah Gwynfe Evans oedd 'newyddiadurwr mwyaf adnabyddus Cymru ar y pryd'. Fe'i ganed yn 1848. Yn 1881 sefydlodd *Cyfaill yr Aelwyd*. Aeth yn newyddiadurwr yn 1887. Bu'n ysgrifennydd Cymru Fydd ac yn ysgrifennydd Cymdeithas yr Iaith Gymraeg (1855) ac yn nes ymlaen aeth yn Gofiadur yr Orsedd (1922). Roedd yn awdur ac yn ddramodydd: *Owain Glyndŵr* (1879) a *Dafydd Dafis* (1898). Bu Evans yn cyfrannu eitemau ar y Goleuadau i'r *Manchester Guardian* lle maentumiodd un sylwebydd nad ei dystiolaeth ei hun oedd sail ei adroddiadau. Eithr mewn erthygl yn y *Daily News* (9 Chwefror, 1905) sonia Evans am ei ymweliad â Mrs Jones, Islaw'r Ffordd:

> *After tea we had two miles walk to chapel. Besides myself there were present the Rev. Llewelyn Morgan, Harlech, the Rev. Roger Williams, Dyffryn, and one other – Mrs Jones came in dressed for her journey.*

Cyn iddynt gychwyn ar eu taith gwnaeth Mrs Jones beth rhyfedd iawn. Aeth allan, ac yna dychwelodd gan ddweud na allent gychwyn, nad oedd y Goleuadau wedi cyrraedd. Bum munud yn ddiweddarach aeth allan eto a'r tro hwn datganodd 'Cawn ni fynd rŵan, mae'r Golau wedi dod'. Aeth y cwmni allan, ac ar eu ffordd gwelsant y Goleuadau. Cafwyd trafodaeth; onid trên yn dod o gyfeiriad y Bermo oedd yn goleuo'r awyr? Ond yna:

> *'Wait,' said Mrs Jones. In a moment, high on the hillside, quite two miles*

awáy from where the 'star' had been a moment previously, a 'Light' again flashed out, illuminating the heather as if bathed in brilliant sunshine. Again it vanished – only to reappear a mile further north, evidently circling the valley, and in the direction of which we were bound.

Felly, yn ôl yr erthygl hon fe welodd Beriah Gwynfe Evans y Goleuadau yng nghwmni nifer o lygad-dystion parchus eraill.

Anfonodd y *Society for Psychical Research* gynrychiolydd o Lundain i archwilio'r hyn a oedd yn digwydd o gwmpas Mrs Jones, a gwnaed adroddiad hirfaith a manwl yn *Proceedings* y gymdeithas yn 1905. Cafwyd adroddiadau cynhwysfawr mewn cyhoeddiadau mor annhebyg i'w gilydd â'r *Occult Review* a'r *Daily Mirror*.

Un tro roedd Mrs Jones yn teithio'n ôl o gwrdd Diwygiadol yng nghwmni tair menyw. Mewn cerbyd arall yn eu dilyn roedd gohebydd a ffotograffydd o'r *Daily Mirror*. Tua hanner nos, wrth eu bod yn dynesu at Abermo, yn sydyn, heb rybudd, daeth pelydrau i oleuo'r ffordd. Amgylchynwyd pawb gan y goleuni nes gallent weld yn glir am ugain llathen i bob cyfeiriad mewn cylch. Edrychodd y gohebydd i fyny pan oedd y goleuni'n diflannu o'r awyr uwchben. Gwelodd dalp hirgrwn llwyd yn dangos cnewyllyn neu galon o oleuni gwyn. Wrth iddo edrych fe aeth y goleuni ac aeth popeth yn dywyll unwaith eto.

Dro arall gwelodd Beriah Gwynfe Evans ac eraill lain o oleuni tua phedair troedfedd o led ac o liw glas llachar, disglair. Roedd hwn yn pelydru'r ffordd ychydig lathenni o'r capel, Egryn. Am eiliad gorweddai ar hyd yr heol ac yna ymledu o'r naill ochr i'r llall gan gyffwrdd â'r wal. Esgynnodd uwchben y waliau. Yna fe welwyd cryndod yn y golau a fflach fel mellt o'r naill ochr i'r stribyn i'r llall cyn i'r cyfan ddiflannu.

Gwelodd y Parch. H.D. Jones, gweinidog gyda'r Bedyddwyr yn Llanbedr, y Goleuadau yn amlach na neb ac eithrio Mary Jones ei hun. Cofnodwyd ei dystiolaeth fel hyn:

Do, gwelais hwy lawer tro, ond fy mhrofiad nos Lun, Mawrth 13eg (1905) ydoedd y rhyfeddaf a gefais o gwbl. Yr oedd Mrs Jones yn cynnal cyfarfod Diwygiadol mewn ysgoldy perthynol i'r Methodistiaid Calfinaidd a elwir Ty'n y Drain, oddeutu milltir a hanner o Lanbedr i gyfeiriad y mynyddoedd. Fe gawsom un o'r cyfarfodydd mwyaf dylanwadol. Yr oedd Mrs Jones ar ei gorau.

Darfu i amaethwr lleol, Mr Morris Jones, Uwchlaw'r Coed ddanfon Mrs Jones adref yn ei gerbyd, y lleill oeddynt yn y cerbyd oeddynt Annie merch Mrs Jones, a rhyw foneddiges o'r Dyffryn a'i mab. Darfu i Mr Hugh Jones (Alaw Gwyrfai) a'i briod a fy hunan eu dilyn ar draed, o fewn ychydig o bellder. Yr oedd Mrs Jones wedi ein sicrhau i'r Goleuadau ein dilyn yno er nad oedd yr un ohonom wedi eu gweled. Wedi i ni eu dilyn am ychydig bellder fe ymddangosodd y Goleu rhyfedd yn sydyn, uwchlaw y ffordd ychydig lathenni o flaen y cerbyd yn yr hwn eisteddai Mrs Jones. Pan gyrhaeddasom at y groesffordd y mae y ffordd sydd yn arwain at Egryn yn cymeryd tro sydyn ar y chwith. Wedi cyrhaedd y pwynt yma, yn lle myned ymlaen yn unionsyth, y mae y Goleu yn gwneud ei ffordd i gyfeiriad Egryn o flaen y cerbyd, ond yna fe newidiodd. Wedi myned ychydig bellder o'r ffordd sydd yn arwain at Egryn fe ymddangosodd pelen fechan o dân coch, o amgylch i'r hwn y dawnsiai dau oleuni gwyn, ac fe arhosodd y goleu coch yn sefydlog am amser hir, tra dawnsiai y goleuadau gwynion yma o'i amgylch. Yn y cyfamser elai cerbyd Mr Jones yn ei flaen, gan adael y Goleuadau hyn o'i ôl; ond dacw y tri goleu yn uno ac yn rhuthro yn gyflym ar ôl y cerbyd gan ei oddiweddyd a'i flaenori. Am dros filldir o ffordd yr oeddym yn cadw o fewn golwg y Goleuadau hyn.

Ond er gwaethaf yr holl dystiolaeth hyn a mwy, ychydig o sylw a gâi'r Goleuadau. Evan Roberts oedd yn mynd â'r rhan fwyaf o dudalennau'r papurau a'r cyfnodolion Cymreig. Gyda chymorth a than arweiniad y Dr D.M. Phillips, roedd Roberts yn swyno'r wlad. Amheuid y rhyfeddodau ym Meirionnydd o'r dechrau a cheir yr argraff fod y papurau enwadol yn eu hanwybyddu o fwriad.

Cyhoeddwyd erthygl yn Y Cymro yn fuan ar ôl i'r Goleuadau ddod i sylw'r wasg yn dweud:

Yr wyf o galon gyda'r Diwygiad, oherwydd fod Duw yn ddiamheuol ynddo yn gweddnewid Cymru o benbwygilydd. Ond beth am 'seren' y wraig o Egryn? Wel, mae yn gwneud 'copi' i'r dim i borthi sensationalism yn y papur Saesneg.

A dywedodd y Cambrian News:

When a person sees flashing lights he may take it for granted that he has *jim-jams. Jim-jams are really dangerous and when he hears knockings as well he is in a fair way to find himself locked in a padded room.*

Ym mis Mai 1905 dywedodd Dr Joseph Agar Beet, yr Athro diwinyddol:

Rhaid i mi weled y goleuadau honedig hyn cyn i mi gredu yn eu bodolaeth. Synnwyr cyffredin yw y barnwr goreu at bethau o'r fath. Cofiaf un ddynes yn dyfod ataf, a dywedodd ei bod, trwy gynorthwy yr Ysbryd Glân, wedi cyfodi dyn o feirw. Digwyddodd hynny yng Nghymru, ond nid oedd fwy o sail i'r hanes uchod nag sydd i'r goleuadau hyn.

Hyd y gwyddys ni cheir unrhyw adroddiad arall ynglŷn â'r Goleuadau ar ôl mis Mehefin 1905. Bu farw Mary Jones yn 1936.

Buan yr anghofiwyd am y Goleuadau. Cyfeiriodd T.H. Parry-Williams atynt yn ei gerdd '1904' yn y llinellau:

Cariadon y Crist a glewion yr Ysbryd Glân
Yn gweled yng 'ngolau Egryn' eu Duw yn dân . . .

a chan fod y cyfeiriad hwn mor ddieithr erbyn 1951 bu'n rhaid iddo ychwanegu nodyn o eglurhad: 'Y golau a welid yn dod o gyfeiriad Egryn yn sir Feirionnydd'.

Mae'n arwyddocaol, efallai, nad yw E. Morgan Humphreys yn ei erthygl 'Y Diwygiad yn y Gogledd' yn *Cyfrol Goffa y Diwygiad 1904-5* (1954) yn crybwyll Mary Jones na'r Goleuadau o gwbl. Mae Gomer M. Roberts ar y llaw arall yn sôn amdanynt yn y bennod 'Rhai o Brofiadau'r Diwygiad' yn yr un gyfrol.

Yn *Chwedlau Gwerin Cymru* gan Robin Gwyndaf (1989), ceir pennod fer ar Egryn lle dywedir:

Byddai'r goleuadau yn ymddangos, fel arfer, ar ffurf bwa disglair, tebyg i'r *aurora borealis*, gydag un pen yn gorffwys yn y môr a'r llall ar fryncyn tua milltir yn bellach draw . . .

Ni welais unrhyw ddisgrifiad yn yr adroddiadau cyfoes ar ddigwyddiadau tebyg i hwn. Soniodd neb am yr *aurora borealis*.

Yng Nghymru ofnid y byddai'r storïau am y Goleuadau yn andwyo delwedd y Diwygiad. Yn baradocsaidd, y tu allan i Gymru edrychid ar y Goleuadau fel peth o ynfydrwydd y Diwygiad.

Ni chynhwysais yr holl dystiolaeth a gesglais, o bell ffordd, yn yr erthygl hon, ond gadewais i'r llygad-dystion siarad yn eu hiaith eu hunain. Gadawaf y gair olaf i Garrett Roberts:

Nid rhyw un neu ddau o bersonau a'u gwelsant, ond ugeiniau, os nad cannoedd; ac ymhlith y llu o dystion y mae dynion o gymeriad diamheuol . . .

Y Crwtyn ar y Mynydd

Awst 4, 1900

Roedd e wedi'i gyffroi cymaint nes ei fod e'n pallu sefyll i'w fam gael ei wisgo. Doedd e ddim wedi bod i ffwrdd o'r blaen, yn sicr doedd e ddim wedi teithio mewn trên, ac roedd e'n edrych ymlaen yn fawr iawn at weld ei dad-cu, ei fodrybedd a'i gefndyr, ond yn bennaf roedd e'n torri'i fol i weld y fferm.

'O's 'na ddefaid 'na, Mam?'

'O's,' meddai'r fam gan fotymu'i gôt fach. 'On'd yw e'n disgwyl yn smart yn ei siwt morwr, Dad?'

'Odi,' meddai'r tad, dyn prin ei eiriau. Gwnaethai ei wraig y siwt ei hun allan o ddeunydd hen lenni melfed gwyrdd. Lliw od, efallai, ond roedd e'n dal i edrych yn bert. Clymodd y wraig y gwregys o gwmpas gwasg y crwtyn a thynnu coler y crys dros goler y siaced.

'O's 'na hwyaid ar y fferm, Mam?'

'O's, wy'n cretu. Sa i'n siŵr, wir. Paid â gofyn shwt gymaint o hen gwestiyne twp o hyd 'chan. Teulu dy dad y'n nhw ta beth; wy' ddim yn gwpod lot am y fferm. Dere 'ma, gad imi dynnu'r sana 'na lan a chlymu'r carrai wetyn 'ny.' Sgidie newydd o'r Co-op, a chostio gormod oedden nhw hefyd.

'Pam wyt ti ddim yn dod gyta ni, Mam?'

'Ni ddim yn gallu fforddio fe. Ma' fe'n costio dwy swllt a naw ceiniog i dy dad, felly dim ond chi'ch dou sy'n gallu mynd y tro 'yn.'

Y gwir amdani oedd ei bod hi'n casáu teulu'i gŵr, ei thad-yng-nghyfraith yn arbennig a'i chwiorydd-yng-nghyfraith a'u fferm ddrewllyd ych-a-fi. Ac roedd hi'n edrych ymlaen, yn dawel bach, at gael tipyn o amser ar ei phen ei hun. Amser i orffwys, wath roedd Tomi yn blentyn bisi.

'Dere 'ma 'to imi gael dodi'r cap 'na ar dy ben.'

'Ew, mae fe'n dishgwl yn smart nawr,' meddai'r tad, ''nenwetig 'da'r het joci 'na a'r rhuban.'

Yna, yn sydyn, daeth lwmp i'w llwnc hi am ryw reswm. Oedd, roedd e'n edrych yn bert, a dyma fyddai'r tro cyntaf iddi fod ar wahân iddo am fwy nag ychydig o oriau ers iddo gael ei eni. Teimlai fel taflu'i breichiau amdano a'i gusanu, ond doedd hi ddim yn iawn i drin plant fel'na – eu bratu nhw.

'Mae'i drwyn e'n rheteg, Mam.'

'Ych-a-fi, y mochyn brwnt,' meddai gan sychu'i drwyn bach yn ei ffedog.

'O's 'na foch ar y fferm, Mam?'

'O's. Och och och!' meddai, o gwmpas ei wyneb, fel mochyn, y peth agosaf at gusan. Ond dim ond chwarae oedd hi.

'Paid neud y sŵn 'na, Mam,' meddai gan ei gwthio hi i ffwrdd – er mawr syndod iddi – 'wy' ddim yn licio moch.'

'Ti'n barod nawr?'

'Otw, Tada.'

'Wel, dere glou ne' byddwn ni'n colli'r trên 'na.'

Ffarweliodd hi â nhw wrth y drws. Dim cusanau, dim ond codi'i llaw a chwifio a gwenu ar eu holau nhw. Roedd ei gŵr yn cario'r plentyn a chyn iddyn nhw droi'r gornel ar waelod y stryd troes y crwtyn a chodi'i law a chwifio arni dros ysgwydd ei dad – ei drwyn bach smwt, y gruddiau fel afalau, bysedd y llaw fach yn troi yn yr awyr. Erbyn iddo fynd o'r golwg rownd y gornel, roedd hi'n hiraethu amdano. Yn y pentre prynodd ei dad botel o *Eiffel Tower Lemonade* i'w yfed ar y trên ac wrth gerdded lan i'r fferm yn nes ymlaen.

Teimlai Tomi'n flinedig. Ni allai weld drwy'r ffenestri. Pwysodd ei ben yn erbyn braich ei dad. Roedd e wrth ei fodd yn teimlo deunydd garw ei gôt a gwynt ei gorff. Gallai glywed sŵn olwynion ar y cledrau haearn – clic-clop-cliciti-cliciti-clop, sŵn cyson yn dweud yr un peth drosodd a throsodd. Caeodd ei lygaid.

Fe'i deffrowyd gan ei dad. Prin y gallai agor ei lygaid gan mor danbaid a llachar oedd glesni'r awyr, ac am ychydig eiliadau nid oedd yn deall ble yn y byd yr oedd e.

'Dyma ni Tomi 'chan,' meddai'i dad. 'Aberhonddu! Rhaid inni gerdded nawr, dere 'ml'en. Paid sugno dy fawd, ti'n rhy fawr i neud hwnna nawr. Ti ddim yn mo'yn i dy gefndyr feddwl dy fod ti'n hen fabi o hyd, neg wyt ti?'

Dododd Tomi'i law yn llaw ei dad. Llaw fawr. Roedd y tu mewn i'w fysedd yn arw, a'r tu allan ac ar ochr ei ddwrn roedd 'na flew du. Teimlai Tomi'n ddiogel yn llaw ei dad.

Ac yn sydyn dyna lle'r oedden nhw yn cerdded yn y mynyddoedd, dim byd ond coed a bryniau o'u cwmpas, a'r awyr las a gwres yr haul yn arch enfawr o'u cwmpas.

'Tada, ble mae Ta'cu a Mam-gu yn byw?'

'Cwmllwch.'

'Ble mae Cwmllwch?'

'Lawr yn y cwm, 'chan.'

'Lawr my'na, iefe?'

Pwyntiodd ei dad fys blewog ei law arall i'r pellter. Ond ni allai Tomi weld ble'r oedd e'n pwyntio; ni allai weld unrhyw ffermdy nac unrhyw fath o dŷ o gwbl, dim ond mwy o fryniau.

Roedd y trên yn yr orsaf yn aros amdanyn nhw fel anifail metal anferth, yn ddu sgleiniog a phres melyn i gyd wedi'i amgylchynu gan fwg fel draig yn pendwmpian. Prynodd ei dad y tocynnau gan y dyn y tu ôl i'r gwydr. Doedd Tomi ddim wedi bod mor agos at drên erioed o'r blaen. Roedd yr holl bobl yn mynd ac yn dod, y sŵn a'r gwynt olew, stêm glo a thân yn cynhyrfu'i synhwyrau i gyd.

Fe'i codwyd gan ei dad a'i ddodi drwy un o'r drysau ac yna daeth ei dad ar ei ôl. Eisteddodd y ddau ar y meinciau wrth ochr ei gilydd. Daeth ysfa dros Tomi i sugno'i fawd ond gwyddai pe gwnâi hynny y byddai ei dad yn clatsio'i law. Feiddiai e ddim agor ei ben i ddweud dim o flaen y dieithriaid, y bobl eraill a rannai'r cerbyd â nhw. Gyferbyn eisteddai menyw fawr, ei hwyneb hi'n sgwâr, ei cheg yn fach yng nghanol yr holl gnawd pinc, het fawr ar ei phen a phlu du yn ymwthio ohoni. Ar labed ei chôt hongiai oriawr aur ar gadwyn. Gorffwysai ei dwylo ar ei harffed, menig du amdanynt, yn wir, du oedd ei dillad i gyd. Roedd hi'n edrych ar Tomi drwy'r amser. Doedd e ddim yn ei licio hi. Wrth ei hochr hi roedd 'na hen ddyn, gyda thrwyn main coch a mwstás gwyn. Sut allai e anadlu drwy'r mwstás 'na? meddyliai Tomi. Roedd yr hen ddyn yn smygu cetyn pib a deuai cymylau melyn drewllyd ohono. Roedd ei lygaid yn las ac yn ddyfrllyd a'r ymylon yn goch, fel petai'n mynd i lefain dagrau gwaed. Wrth eistedd plygai ymlaen gan bwyso ar ei bengliniau, ei wyneb yn agos at Tomi. Pesychai'n aml.

Roedd 'na ddau ddyn arall ond ni allai Tomi weld eu hwynebau gan eu bod nhw'n dal papurau newyddion o flaen eu llygaid, fel petaent yn cuddio.

'Dim diwedd ar y busnes Dreyfus 'na,' meddai'r naill wrth y llall, y tu ôl i'w papurau.

'Wy'n gweld bod Madam Patti yn mynd i gael cyngerdd yn ei chartref,' meddai'r llall.

Wrth gerdded roedd ei dad yn chwibanu. Beth oedd y dôn? Doedd

Tomi ddim yn ei nabod. Ond, 'na fe, roedd gan ei dad ei donau ei hun. Byddai e'n eu cyfansoddi yn ei ben, meddai. Tynnodd Tomi'i chwibanogl tun – oedd yn hongian ar linyn o gwmpas ei wddwg – allan o'i grys morwr bychan. Chwythodd nes bod y pip-pip yn atseinio o fryn i fryn. Chwarddodd ei dad.

'Paid, 'chan, neu bydd pob ci defed o bob ffermdy yn y wled yn dod ar ein holau ni.'

'O's ci defed 'da Ta'cu?'

'O's.'

'Beth yw ei enw?'

'Mot.'

Chwythodd Tomi'r chwibanogl eto.

'Paid!' meddai ei dad, braidd yn llym, 'paid â neud hwnna eto, mae'r sŵn yn brifo 'nghlustiau i. Be ti'n trial neud 'chan, 'myddaru i?'

'Treio galw Mot o'n i.'

'Paid â gwastraffu d'ana'l. Hen gi yw Mot, trwm ei glyw, ddaw e ddim. Felly, paid a hwthu hwnna 'to, 'na fachgen da.'

Gollyngodd Tomi'r chwibanogl ar y llinyn lawr rhwng ei grys a'i groen. Roedd y metel yn oer i ddechrau ond buan yr anghofiodd y crwtyn amdani. Roedd ei law yn llaw ei dad yn chwysu.

'Da-ad? O's llawer o ffor' i fynd nawr?'

'Neg o's 'chan.'

'Wy'n sychetig.'

Chymerodd ei dad ddim sylw. Tynnodd Tomi'i law e.

'Mae syched arna' i,' meddai'n daerach, 'ac mae 'nghoese i'n brifo.'

Cododd y dyn ei fab yn ei freichiau. Buasai Tomi wedi licio cael reidio ar ei gefn, ging-gong-gafr, ond am ryw reswm doedd ei dad ddim yn licio'i gario fel'na. Cododd Tomi ei law i anwesu wyneb ei dad, ei ben ar ei frest. Gallai deimlo'i frisls a chorneli'i fwstás. Roedd e wrth ei fodd yn cyffwrdd wyneb ei dad, roedd e'n licio sŵn y brisls a'r teimlad caled-feddal.

'Dyma ni,' meddai'i dad ar ôl tipyn a'i ddodi i sefyll ar y llawr eto. 'Ni'n mynd i gael tipyn o de 'ma. Cei di beth o'r pop 'ma nawr, os wyt ti'n mo'yn.'

Ni wyddai Tomi ble'r oedden nhw. Bu'n pendwmpian ym mreichiau ei dad. Er syndod iddo gwelodd fod milwyr o gwmpas, rhai'n gwisgo cotiau a botymau melyn yn sgleinio ym mhelydrau isel yr haul – ond doedd e ddim yn siŵr beth oedd lliw eu cotiau, doedd e ddim yn siŵr o'i liwiau eto. Cerddai rhai ohonynt o gwmpas yn llewys eu crysau. Roedd 'na fordydd a stolion pren. Dododd ei dad Tomi i eistedd ar stôl.

'Aros di 'na, 'na fachgen da. Wy'n mynd i brynu cwpwl o fisgeti i ti.'

Eisteddai Tomi yn dawel, yn ofni symud. O gwmpas bord gyfagos roedd 'na griw o filwyr yn edrych arno, yn gwenu ac yn wincian yn gyfeillgar. Ond roedd Tomi'n ofnus a daeth lwmp i'w lwnc a sbonciodd dagrau i'w lygaid. Brwydrodd i'w cadw nhw'n ôl, er bod hynny yn gwneud i'r boen yn ei lwnc deimlo'n waeth. Buasai'r milwyr yn chwerthin ac yn gwneud hwyl am ei ben tasai'n dechrau crio. Ond gallai Tomi weld taw bechgyn mawr oedden nhw, nage dynion fel ei dad, er bod rhai ohonyn nhw'n smocio. Ble'r oedd ei dad? Doedd e ddim yn licio cael ei adael ar ei ben ei hun fel hyn.

'Dyma ni Tomi.'

Ac yn sydyn dyna lle'r oedd e – mor falch oedd y crwtyn o'i weld eto – yn rhoi dwy ddysgled ar y ford a dwy fisgeden gron o'i flaen. Ond wrth ochr ei dad safai hen ddyn gyda barf frith o gwmpas ei wyneb, gwasgod, siaced fawr a thrywsus llac a llwyd a het ar ei ben, ac wrth ochr y dieithryn hwn safai bachgen mawr, ei ddillad yn frwnt, ei wyneb brown yn chwysu, plorynnod o gwmpas ei ên.

''Co pwy dwi wedi ffindo,' meddai ei dad. Doedd Tomi ddim yn eu nabod nhw. 'Ti ddim yn cofio dy Dad-cu a Wili John, dy ge'nder?'

Bwytaodd Tomi'i fisgedi ac yfed ei bop tra oedd ei dad a'i dad-cu yn yfed y te ac yn siarad. Safai Wili John o'i flaen yn syllu arno. Ar ôl iddo fwyta un o'r bisgedi torrodd Tomi'r llall yn ddau ddarn a rhoi'r darn lleiaf i'w gefnder dieithr. Cymerodd hwnnw'r darn heb ddweud diolch a'i daflu i'w ben a'i grensian rhwng ei ddannedd melyn yn swnllyd.

'Beth am inni gael tropyn man 'yn cyn mynd sha thre?' meddai'r hen ddyn wrth ei dad.

'Beth am y plant 'ma?' meddai ei dad.

'Cân' nhw fynd o'n blaena ni i weud 'yn bod ni ar y ffor',' meddai'r tad-cu. Yna troes yr henwr at y llanc, 'Dere di 'nôl Wili John ar ôl iti alw ar dy fam-gu. Paid â bod yn hir, whaith.'

'Cer di 'da Wili John, Tomi. Ffydda i ddim yn hir wetyn.'

Dringodd Tomi lawr o'r stôl a rhedeg ar ôl ei gefnder ac fel'na y gadawodd y ddau wersyll y milwyr.

Doedden nhw ddim wedi mynd yn bell pan ddywedodd Tomi, 'Mae hi'n dywyll.'

'Beth yw'r ots?' meddai Wili John. 'Ti ddim yn fabi ofnus nag wyt ti?'

'Neg wy' i,' meddai Tomi, ond gwyddai fod Wili John yn credu taw babi oedd e.

Edrychodd ar goesau cryf ei gefnder yn brasgamu'n hyderus o'i flaen. Yng ngolau'r llusernau nwy yn y gwersyll roedd e wedi sylwi fod ei goesau'n frown a bod blew arnyn nhw, ond nawr yn y tywyllwch edrychai ei goesau'n wyn o'i flaen, yr unig bethau gwyn yn yr holl ddüwch a ddaethai i'w hamgylchynu.

'Aros amdana' i Wili John, ti'n myn' yn rhy glou!'

'Brysia 'te.'

Yna daeth Wili John at nant fechan a sefyll ar ei glan.

"Dyn ni'n gorffod croesi fan 'yn. Wyt ti'n gallu cer'ed dros y bwrdd pren 'ma?'

'Neg wy', alla' i ddim.'

'Dere dy law i mi 'te,' meddai Wili John yn ddiamynedd.

Cydiodd Tomi yn llaw'r bachgen mawr. Roedd ei afael yn galed ac yn anghyfforddus ac yn boeth. Siglodd y pren o dan ei draed. Ofnai Tomi gwympo i'r afon. Gallai glywed sŵn y dŵr yn rhuthro o dan y bont amrwd.

Ar yr ochr arall gollyngodd Wili John ei law. Er mor arw y bu'r llaw, buasai Tomi wedi licio gafael ynddi am weddill y ffordd.

'O's ffordd bell 'da ni i fynd nawr?'

'Neg o's,' ebychodd Wili John heb droi i edrych ar y crwtyn.

'O's 'na foch ar y fferm?'

'O's, lot ohonyn nhw,' meddai Wili John, yna ychwanegodd, 'Pa mor hir ti'n mynd i sefyll gyda ni?'

'Sa i'n gwpod,' meddai Tomi.

'Beth yw d'oetran?'

'Sa i'n gwpod.'

'Smo ti'n gwpod dim neg wyt ti?' meddai Wili John a throi i chwerthin arno, a gwelodd Tomi ei ddannedd yn ei ben – fel dannedd moch, efallai.

'Wy'n mo'yn Tada,' meddai Tomi. Gallai deimlo'r dagrau yn boeth ar ei ruddiau. O leiaf yn y tywyllwch ni fyddai'r bachgen mawr hwn yn gallu gweld ei fod e'n crio.

'Dere 'ml'en 'chan,' meddai Wili John yn fyr ei amynedd, 'ni bron yn nhref nawr, w!'

'Wy'n mo'yn myn' 'nôl at Tada,' meddai Tomi.

'Cer ti 'te,' meddai Wili John ar ôl ystyried am eiliad. Byddai'n rhedeg ymlaen i ddweud wrth ei fam-gu fod yr ymwelwyr ar y ffordd ac yna yn rhedeg 'nôl i gwrdd â'i dad-cu a'i ewythr. A bant ag ef i'r tywyllwch gan ddiflannu o flaen llygaid y plentyn bach.

Troes Tomi i gerdded 'nôl. Roedd popeth o'i gwmpas yn dywyll ac yn oer. Doedd e ddim wedi bod mas yn y tywyllwch ar ei ben ei hun o'r blaen ac roedd e'n gorfod croesi'r bont fach ofnadwy 'na eto.

Cerddodd a cherddodd, ond welodd e mo'r bont. Gwaeddodd am ei dad drosodd a throsodd. Gwaeddodd am ei fam er ei bod hi wedi aros gartref. Cofiodd am y gweddïau a ddysgasai yn yr Ysgol Sul. Aeth ei lais bach lan i'r nos.

* * *

Yn ddiweddarach y noson honno, pan welodd Wili John ei dad-cu a'i ewythr yn dod i gwrdd ag ef drwy'r tywyllwch, sylwodd nad oedd Tomi gyda nhw.

'Ble mae Tomi?' gofynnodd, cyn meddwl y buasai'n cael y bai am ei golli fe.

'Ethoch chi ddim sha thre 'da'ch gilydd?' gofynnodd ei dad-cu yn grac.

Eglurodd y llanc sut oedd ei gefnder bach wedi dechrau llefain am ei dad ac wedi troi yn ei ôl.

'Af i i whilio amdano,' meddai William Jones.

'Gan bwyll nawr,' meddai'r henwr, 'awn ni 'nôl at filwyr y Login i g'el golau.' Ac felly y bu.

O fewn hanner awr roedd milwyr a chymdogion yr ardal yn cribo'r mynydd. Cylchoedd o oleuni yn ymdrechu i wthio düwch y nos yn ôl.

'Noson dwym, diolch i'r drefen,' meddai'r henwr wrth ei fab. 'Paid â phoeni, all un bach fel'na ddim mynd yn bell iawn.'

Ond ble'r oedd e? Am hanner nos – fel y trefnwyd – daeth y dynion i gyd yn ôl i wersyll milwrol y Login, wedi cerdded milltiroedd rhyngddynt, ugeiniau o ddynion, heb ddod o hyd i Tomi bach.

Aeth William Jones a'i dad yn ôl i Gwmllwch lle'r oedd Wili John a Margaret, mam William yn eu disgwyl.

'Ble ma' fe?' Siglodd ei gŵr ei ben. Plethodd Margaret Jones ei dwylo mewn gweddi.

'Alla' i byth fynd yn ôl at 'y ngwraig heb ffindo'r plentyn,' meddai William.

'Ni'n siŵr o ffindo fe pan ddechreuith hi oleuo,' meddai ei dad.

Chysgodd neb o'r teulu y noson honno.

* * *

Ysgrifennodd William Jones lythyr at ei wraig, er ei bod yn ŵyl y banc, ac yng ngeiriau prin iaith annigonol, ceisiodd esbonio beth oedd yn digwydd. Roedd eu plentyn wedi mynd ar goll ar y mynydd yn ystod y nos. Roedd ef – William – a'i dad a'r cymdogion a llawer o bobl eraill, gan gynnwys y milwyr o wersyll y Login, yn chwilio am Tomi.

You are not to worry I will not come home without our child. You are not to worry my dear if I do not return to my work at the end of the holiday. I will look for our son until I have found him,

Regards, your loving husband,
William Jones.

Roedd yn well ganddo golli'i waith na cholli'i fab ei hun.

Tra oedd ei gŵr, y Major J.D. Lloyd, yn arwain y milwyr i chwilio am y bachgen bach y noson honno, clywodd Mrs Lloyd, a oedd yn aros yn ffermdy'r Login, sŵn plentyn yn crio allan yn y tywyllwch tua ugain munud i naw yn y nos. Ond ni fentrodd hi o'r tŷ – roedd hi'n foneddiges wedi'r cyfan, ac ni soniodd am y peth am sawl diwrnod.

O fewn hanner awr i'r crwtyn fynd ar goll, ac er i'r teulu a'r milwyr a'r cymdogion ddechrau chwilio amdano'n syth, roedd yn union fel petai wedi diflannu gyda golau'r dydd.

Galwyd am yr heddlu.

Ymwelodd P.C. Harwood â'r mynyddoedd bob dydd dros y dyddiau dilynol. Holwyd y tad, ond ni allai hwnnw gyfrif am ddiflaniad y plentyn. Ar wahân i hynny, doedd e ddim mewn cyflwr i ateb cwestiynau.

Parhawyd gyda'r ymdrechion i ddod o hyd i'r plentyn, heb lwyddiant.

Yna, daeth yr achos i sylw'r wasg a chynigiodd y *Daily Mail* wobr o £20 am ddod o hyd i'r bachgen, a chyhoeddwyd penawdau yn datgan *Beacons Mystery still unsolved*. Rhoddwyd llysenw ar Tomi, sef *The Little Wanderer*. Dywedodd *Baner ac Amserau Cymru*:

> Yn sicr, erchyll beth ydyw meddwl ei bod yn bosibl, mewn gwlad wâr, hen sefydledig fel hon, i blentyn gael ei ysgubo oddi ar wyneb y ddaear heb adael yr arwydd lleiaf ar ei ôl!

Ac yn ôl y *Daily Mail* eto:

> . . . *localities still exist in the British Isles as lonely and desolate as any to be found in the wilds of Central Africa.*

Tua'r un adeg aeth bachgen arall, o'r enw Glover, ar goll yn Teignmouth.

Yn gyfrinachol, credai'r heddlu fod rhywun wedi cipio'r crwtyn. Cynyddai'r sibrydion; dywedid bod Tomi wedi cael ei weld ymhlith sipsiwn yn Rhaeadr; dywedid bod ei ddillad wedi eu canfod ar lan afonig ar y mynydd; dywedid bod dau wedi cael eu harestio dan amheuaeth. Nid oedd rhithyn o wirionedd i'r un o'r sïon hyn.

Daeth gohebydd arbennig o'r enw Fred Mackenzie ar ran y *Daily Mail* i Fannau Brycheiniog i archwilio'r achos gan fod cymaint o ddiddordeb cynyddol ynddo drwy'r wlad. Soniodd yn y papur am fachgen a gawsai ei gipio o Gaerdydd gan 'fenyw unig', ond daethpwyd o hyd iddo yn ddianaf ym Mryste ac yn amharod i adael ei 'fam newydd', wedi anghofio'i rieni ei hun yn llwyr.

Cysurwr Job oedd Mackenzie. Dywedodd yn un o'i erthyglau:

> . . . *of course it may not have been an abduction. The child may still be lying on the Brecon Beacons.*

Un arall a gymerodd ddiddordeb mawr yn yr achos oedd hen heddwas wedi ymddeol o'r enw William Martin. Bu'n aelod o heddlu Sir Forgannwg am gyfnod o chwe blynedd ar hugain cyn ei ymddeoliad. Cerddodd i fyny'r mynyddoedd at leoliad y diflaniad er mwyn cael golwg ar bethau. Ymwelodd â phedwar llecyn a oedd yn gysylltiedig â'r dirgelwch – gwersyll y milwyr, y Login, y nentydd a ffermdy Cwmllwch. Daeth i'r casgliad nad oedd dim byd ysgeler wedi digwydd, hynny yw, doedd neb wedi cipio'r plentyn na'i ladd. Sut y gwyddai hynny, ni ddywedodd. Yn ei farn ef cawsai'r crwtyn ei ddychryn gan sŵn y cŵn yn cyfarth neu gan y syniad o foch ar y fferm

– wedi'r cyfan bu'n holi am foch fel petai arno eu hofn. Yn ei fraw troes y crwtyn i'r chwith, i gyfeiriad y mynyddoedd gan redeg yn ei flaen i'r tywyllwch wrth iddi nosi. Nododd yr hen heddwas nad oedd golau lleuad y noson honno.

Nid dyna farn y *Brecon County Times* a ddatganodd yn hyderus: *'He did not lose himself.'* Yn ôl y papur hwn roedd pob damcaniaeth yn erbyn hynny: dechreuwyd chwilio am y plentyn yn syth; roedd y gwersyll milwrol gerllaw; bu'r milwyr yn egnïol ac yn ddiwyd; gellid clywed sŵn eu corn filltiroedd i ffwrdd; archwiliwyd pob troedfedd o'r tir; ac onid oedd chwibanogl gan y plentyn? Ac ar ben hyn i gyd ni allai plentyn bach fynd yn bell ar ei ben ei hun. Eu casgliad nhw – yr unig gasgliad rhesymegol – oedd bod y crwtyn wedi cael ei gipio.

Beth am y rhieni? Drwy gydol y cyfnod o ansicrwydd ofnadwy hwn roedden nhw'n ddistaw, yn fud yn eu gofid.

Dan bennawd 'Dirgelwch Bannau Brycheiniog' dyfalodd *Y Faner:*

Gofynna rhai ai nid ydyw yn bossibl y gallai fod eryr wedi ei gipio, a'i ddwyn i'w nyth i'w ysglyfio yn fwyd ymaith. Nid ydyw hynny y tu allan i gylch possibilrwydd, wrth gwrs, canys gwyddis am ffeithiau credadwy am eryrod yn cymeryd plant bychain ymaith felly. Ond, y mae y ddamcaniaeth yn mhell o fod o fewn terfynau tebygolrwydd; canys nid ydyw eryrod yn nythu ar y Bannau er's ugeiniau lawer o flynyddoedd. A ddichon rhywun daflu goleuni ar y dirgelwch?

Cyfansoddodd Edith Smith o Grucywel gerdd yn dwyn y teitl *'The Lost Child'* sy'n dechrau gyda'r llinellau hyn:

A little child is lost – some mother's boy –
  So young so sweet so full of glee;
Lost, when he scarce had left his father's side,
  Tired of his play but happy as could be.

Where has he gone? Is heard from lip to lip . . .

Ac roedd y *Daily Mail* yn dal i gynnig y wobr o £20.

* * *

Bu Mrs Hamer yn darllen am y plentyn diflanedig yn y papur, fel pawb arall. Gwraig oedd hi i Abraham Hamer, Castle Madoc, ychydig filltiroedd i'r gogledd o Aberhonddu. Un noson, mewn breuddwyd, gwelodd Mrs Hamer grwtyn bach yn sefyll mewn twll ar y mynydd yn llefain ac yn galw am ei fam. Gallai weld y lle yn glir. Heb fod yn bell o'r llecyn lle'r oedd y plentyn roedd 'na lyn. Deffrodd ei gŵr a dweud ei breuddwyd wrth hwnnw.

'Rhaid inni fynd at yr heddlu,' meddai hi.

'Paid â bod yn dwp, w! Ti wedi bod yn breuddwydio, 'na gyd.'

'Na, proffwydoliaeth oedd hi, dwi'n berffaith siŵr.'

'Chawn ni ddim mynd at yr heddlu a gweud dy fod ti wedi cael "proffwydoliaeth", na chawn? 'Nest ti ddim darllen am y fenyw 'na o Nottingham gafodd ddirwy o bum punt am weud ffortiwn?'

Y diwrnod wedyn soniodd Mrs Hamer am ei breuddwyd wrth ei modryb a pherswadiodd honno Mr Hamer i fynd i'r Bannau er mwyn chwilio am y lle a welsai Mrs Hamer yn ei breuddwyd.

Benthycodd Abraham Hamer boni a thrap ar ddydd Sul, Medi'r 2il, 1900, bron fis i'r diwrnod y diflannodd Tomi Jones ac aeth ef a'i wraig a'i modryb a'i hewythr hi i'r Bannau. Aethant mor bell â fferm Cwrt Gilbert a cherdded gweddill y ffordd. Roedd Mrs Hamer fel petai'n gwybod ble i fynd er nad oedd hi wedi bod yno erioed o'r blaen.

Roedd Mr Hamer yn amheus o allu'i wraig i broffwydo unrhyw beth, a pha obaith oedd ganddyn nhw o ddod o hyd i'r plentyn a'r milwyr a'r heddlu wedi methu'n llwyr.

Serth oedd y llwybr i fyny'r llethrau ac ni allai Mrs Hamer a'i modryb gerdded yn rhwydd yn eu sgertiau mawr, hir, eu hetiau a'u staesiau. Ac roedd hi'n ddiwrnod poeth iawn. Roedd ei hewythr yn araf hefyd.

'Cer 'mlaen,' meddai wrth ei gŵr, 'ffordd 'na.' Pwyntiodd gyda'i pharasol.

Roedden nhw'n mynd i gyfeiriad y cribau, dros dipyn o dir agored, pan droes Mr Hamer yn ôl at weddill y parti, wedi'i ddychryn.

'Be sy'n bod?' gofynnodd yr ewythr.

'Dwi wedi dod o hyd iddo,' meddai Hamer, gan ostwng ei lais.

Roedd y crwtyn yn gorwedd ar ei fol, ei wyneb ar y llawr a'i ddwylo bach wedi ymestyn o'i flaen. Roedd ei ddillad wedi'u llwydo gan yr haul a gwynt a glaw y mynydd. Gorweddai'i gap ychydig lathenni oddi wrth ei gorff, a'r gwair wedi tyfu o'i gwmpas nes ei guddio o'r golwg, bron.

Yn ôl papurau'r dydd, Mr Hamer ddarganfu'r corff ac iddo ef y talwyd y wobr o £20. Nid yw rhan Mrs Hamer yn y darganfyddiad yn cael ei grybwyll. Dechreuwyd casgliad yn syth i godi cofgolofn i'r plentyn ar y mynydd. Rhoddodd Mr Hamer gyfran o'i wobr tuag at y casgliad. Pan gynhaliwyd cwest i'r farwolaeth, cyfrannodd aelodau'r rheithgor eu ffioedd hwythau i'r casgliad.

Nid oedd corff Tomi ymhell iawn o fferm Cwmllwch, nac o lyn Cwmllwch. Heb yn wybod iddo, pan oedd William Jones yn chwilio am ei fab, bu'n sefyll o fewn llathenni iddo.

Yn y cwest dywedwyd bod y plentyn wedi colli'i ffordd yn y tywyllwch a'i fod wedi marw yn yr awyr agored o oerfel, blinder a newyn.

Rhoddwyd y dillad bach trist – wedi'u gwynnu gan y tywydd – i'r fam: y siwt morwr bychan, y cap joci gyda'r rhuban, yr esgidiau o'r Co-op gydag ôl traul y cerdded anobeithiol ar y sodlau.

Mae'r gofgolofn i'w gweld ar y mynydd o hyd.

Côt Corvo a Chymru

Arwydd o wallgofrwydd, meddir, yw'r arfer o ysgrifennu mewn inc gwyrdd. Arferai Frederick Rolfe, a adwaenid weithiau fel Baron Corvo, ysgrifennu ei lythyrau mewn inc lliw emrallt, bron yn ddieithriad.

Roedd barwniaeth Corvo yn debyg ei natur i hawl Daniel Jones i'w alw'i hun yn Sgweier Hafila. Yn ei lawysgrifen gain Eidalaidd ac mewn inc o liw'r glaswellt ysgrifennodd Corvo ei nofelau swmpus *Hadrian the Seventh* a *Don Tarquinio*, ei storïau *Stories Toto Told Me*, ei fersiwn o hanes teulu'r Borgia a'i gyfieithiad i'r Saesneg (o'r cyfieithiad Ffrangeg) o *Omar*, a'i ddau destun anorffenedig *The Desive and the Pursuit of the Whole* a *Hubert's Arthur*, yn ogystal â phentyrrau o lythyron – y rhan fwyaf ohonynt yn melltithio ac yn difrïo cyfeillion a gelynion fel ei gilydd. Am yr holl waith llenyddol hwn cafodd ychydig dros ganpunt o dâl – £30 am y storïau, llai na £50 am yr hanes a dim ond £25 am y cyfieithiad. Am ei nofelau hirion ni chafodd yr un geiniog yn ystod ei oes. Nid yw'n rhyfedd iddo ddiweddu'i oes yn byw mewn *sandola* yn Fenis, yn gwastraffu'i arian prin a gweddillion ei egni ar buteinlanciau'r ddinas, ac iddo farw o newyn yno yn bum deg a thair oed.

Pe buasai'r ffugfarwn wedi byw yn ein hoes ni gallasai fod wedi gwneud cais am un o ysgoloriaethau llenyddol Cyngor Celfyddydau Cymru. Buasai wedi bod yn gymwys oherwydd bu iddo dreulio dros dair blynedd yn ein gwlad. (Ond go brin y buasai Rolfe wedi gwneud cais am gymhorthdal o'r fath dros ei grogi, waeth roedd e'n ffyrnig o wrth-sosialaidd, fel y dengys *Hadrian the Seventh*, ac yn erbyn trethi a'r hyn a alwai ef yn *organized charity*.)

Pan ymddangosodd Corvo yng Nghymru gyntaf, yn Nhreffynnon yn 1895, roedd e'n bymtheg ar hugain ac eisoes wedi cael ei wrthod ddwywaith gan yr Eglwys Babyddol ar gyfer ei ordeinio'n offeiriad. Ni ddaeth y llenor dros y siomedigaeth egr hon byth ac am weddill ei oes, er na chefnodd ar ei ddewis grefydd, roedd e'n amheus o Gatholigion yn gyffredinol.

Yn un o'i lythyron bythwyrdd dywedodd:

I find the Faith comfortable and eximions; but its proffessors utterly intolerable. In seventeen years I have never met one R.C., except the

Bishop of Menevia, who was not a sedulous ape, a treacherous snob, a slanderer, an oppressor, or a liar; and I am going to try to do without them.

Yr eithriad i'w ddicter, Esgob Mynyw, un o'r cysylltiadau Cymreig pwysicaf ym mywyd cythryblus Corvo, oedd Francis Edward Mostyn, pedwerydd mab yr wythfed barwnig Mostyn. Daeth yn *Vicar Apostolic of Wales* yn 1895; gwnaethpwyd ef yn esgob 'Menevia' yn 1898; a bu'n archesgob Caerdydd o 1921 hyd ei farw yn 1939.

Roedd Rolfe yn mynd drwy gyfnod anodd yn Nhreffynnon a chawsai'r argraff ei fod wedi'i ysgymuno o'r eglwys gan un o'r offeiriaid, peth a'i gofidiai'n fawr iawn. Yn 1900 aeth Dr Mostyn i ymweld ag ef yn ei lety yn 3 Bank Place, Treffynnon, i fendithio'r lle ac i'w sicrhau na chawsai ei ysgymuno o gwbl. Camddealltwriaeth oedd y cyfan.

Er iddo ddisgrifio Mostyn mewn llythyr nodweddiadol o ffyrnig fel *'too fat to be a wicked man, and just fat enough to be stolid'*, fe'i defnyddiodd fel cynsail i un o brif gymeriadau *Hadrian the Seventh*, sef Dr Talacryn, Esgob Caerlleon. Hwn yw'r unig un ymhlith holl gydnabod George Arthur Rose (y prif gymeriad yn y nofel sy'n cael ei droi yn Bab, Hadrian y Seithfed) sydd wedi aros yn ffyddlon iddo. Hyd y gwelaf i, ni ddywed y nofel taw Cymro yw Dr Talacryn, ond yn fuan ar ôl i Rose gael ei goroni gyda'r goron driphlyg mae Hadrian yn danfon Talacryn ar neges drosto gyda'r geiriau hyn:

We name you trainbearer; and will make your office a sinecure. God bless you. Da b'och a dibechod.

Neidia'r frawddeg Gymraeg o'r dudalen o flaen llygaid y Cymro o ddarllenydd. Ar ben hynny gelwir Talacryn yn Frank sawl gwaith yn y nofel ac mae'r cyfenw ei hun yn hynod o arwyddocaol o gofio i Francis Mostyn gael ei eni yng nghartref y Mostyniaid, sef Talacre. (Mae'n eithaf posibl y cyfarfu Saunders Lewis hefyd â Francis Mostyn. Ac os yw hyn yn wir, mae'r esgob yn ddolen mewn cadwyn o gysylltiadau llenyddol rhyfedd, fel y cawn weld yn nes ymlaen.)

Beth bynnag, doedd Corvo ddim yn hapus yn Nhreffynnon ac ysgrifennodd stori am ei amser yno dan y teitl dirmygus *'The Nowt of Sewer's End'*. Ceisiodd ennill ei damaid fel arlunydd. Ffraeodd â phawb a threuliodd gyfnod yn y tloty yno. Tybed a oes rhai o'i luniau wedi goroesi yn yr ardal? Gwyddys iddo wneud baner o Ddewi Sant ac un o'i hoff lancsant, Huw, yn ogystal â lluniau o'r pedwar archangel. Darluniodd hefyd Sant Pedr mewn rhuddgoch a Sant Gregori mewn porffor.

Yn ystod y cyfnod hwn hefyd ymwelai â'r Rhyl o dro i dro er mwyn profi *'the chance romances of the street'*. Pan fyddai ar fin dechrau baner newydd âi i'r Rhyl am 'ysbrydoliaeth'. Neidia ei gofiannydd A.J.A. Symons (fe ddaw'r rhan fwyaf o'r wybodaeth yn yr erthygl hon o'r cofiant anghonfensiynol a chlasurol hwnnw *The Quest for Corvo*) i'r casgliad taw menywod oedd canolbwynt y rhamantau hap a damwain hyn. Dyna farn John Holden hefyd – un o'r unig gyfeillion a wnaeth Corvo yn ystod ei arhosiad yn Nhreffynnon. Ond bechgyn oedd testun ei luniau yn ddieithriad. Yn wir, roedd Corvo, gwaetha'r modd, yn fenywgaswr rhonc. Dywedodd wrth Holden un tro: *'What you can see to admire in the female form I don't know. All those curves and portuberances that seem to fascinate you only go to show what nature intended her for – all that she's fit for – breeding.'* Ond fel y dywed cofiannydd diweddarach, sef Miriam J. Benkovitz, mewn sylw treiddgar iawn:

> *Very likely what he [Corvo] told Holden was a camouflage for his real activities at Rhyl or Manchester or wherever he sought a companion for sexual purposes. Although arguing from such flimsy evidence is self-indulgent, Rolfe's reference to the Turkish bath at Rhyl is particularly suspect, in as much as public baths have been notorious meeting places for elaborate rituals for homosexuals at least since the days of Caracalla.*

Gadawodd Corvo Dreffynnon yn 1898 ond nid dyna ddiwedd ei gysylltiad â Chymru. Ar ôl rhagor o anturiaethau arswydus mewn mannau eraill daeth 'Fr. Rolfe' (fel y galwai'i hun bellach, gan lawen adael i bobl gamdeall y 'Fr.', a safai am Frederick, fel 'Fr.' am *'Father'*) i gysylltiad â Colonel Owen Thomas. Dywed y *Bywgraffiadur* am y colonel ei fod yn:

> Gymro reiol o ran iaith a theimlad, hawdd dod ato, y natur ddynol ar ei gorau . . . Bu iddo bob amser ddiddordeb mawr mewn gwleidyddiaeth – awgrymwyd ei enw yn 1894 fel ymgeisydd dros Fôn ar ran y Rhyddfrydwyr – ac yn Rhagfyr 1918, wele ef yn ymgeisydd Llafur, ac er syndod i'r Rhyddfrydwyr uniongred, enillodd y sedd oddi ar yr hen aelod a fu'n cynrychioli'r sir er 1895 (E.J. Ellis-Griffith).
>
> . . . Yn 1922 daeth allan fel ymgeisydd annibynnol dros Fôn, ac

unwaith eto enillodd y dydd yn erbyn y Rhyddfrydwyr . . . collodd dri o'i feibion yn y Rhyfel mawr cyntaf.

Ond fe ddisgrifiwyd y gwron hwn mewn llythyr gwenwynllyd o wyrdd gan Rolfe fel – *'an obese magenta colonel of militia with a black-stubbed moustache and a Welsh-tongued proposition'*. Gofynasai Thomas i Rolfe lunio'i 'hunangofiant'. Mewn geiriau eraill, roedd Rolfe i weithio fel yr hyn a elwir yn ein dyddiau ni yn *ghost writer*, peth hynod o anghonfensiynol yr adeg honno. Llwyddodd Rolfe i chwyddo ugain tudalen o nodiadau anniben Thomas i lawysgrif swmpus o bum can tudalen, yn seiliedig ar waith ymchwil manwl a chydwybodol. Ond am y gwaith clodwiw hwn cynigiodd Owen Thomas y swm pitw a sarhaus o £50. Aeth Rolfe ag ef i gyfraith i geisio cael tâl haeddiannol ganddo, ond collodd yr achos.

Er bod ganddo bersonoliaeth gecrus, meddai Corvo ar ddawn ryfeddol i wneud ffrindiau newydd o hyd. Cyfeillachai â dynion llengar, iau nag ef ei hun. Cychwynnai brosiectau llenyddol ar y cyd â nhw – nes i'r ffrae anorfod ddod a chwalu'u cynlluniau i gyd. Ond yr olaf a'r ffyddlonaf o'r cymrodyr hyn oedd gŵr ifanc o'r enw Harry Pirie-Gordon. Yn fuan ar ôl iddo ddod i'w nabod fe wahoddodd Pirie-Gordon y llenor i fynd i aros gyda'i deulu yn eu cartref Gwernvale. Dywed Benkovitz am y lle: *'Gwenvale, in use today as an Inn, is at the northern edge of Crickhowell, a market town five or six miles from Abergavenny.'* Ar ôl ei brofiadau annymunol yn Nhreffynnon a'i gysylltiad trychinebus ag Owen Thomas, gellir cydymdeimlo'n hawdd ag amharodrwydd Corvo i ymweld â Chymru eto. Cwynodd nad oedd ganddo'r dillad priodol i'w gwisgo mewn tŷ crand yn y wlad, ond ysgrifennodd mam Pirie-Gordon ato mewn modd mor garedig nes ei argyhoeddi i fynd.

Dyna un o gyfnodau hapusaf bywyd helbulus Corvo, fe ymddengys. Âi i aros gyda'r teulu Pirie-Gordon yn aml wedyn ac âi am ymweliadau hirion dros y blynyddoedd nesaf, nes iddo adael Prydain am Fenis tua 1908.

Ond ar ôl i Rolfe gwyno nad oedd ganddo ddillad cymen, dywed A.J.A. Symons am ei ymweliad cyntaf â Gwernvale:

His luggage included a mole-coloured velvet dinner jacket, so that he was able to appear as a spruce if mysterious figure at the dinner parties given by the Pirie-Gordons and their neighbours.

Nid hwn oedd y tro cyntaf i'r siaced fod yng Nghymru, na'r tro olaf iddi fod o bwys ym mywyd y llenor. Yn un o'r llythyron o Fenis, nas dyfynnir ohono gan Symons, sonia Rolfe iddo orfod gwerthu'r dilledyn am bryd o fwyd, *'and that is the last I saw of the beautiful little jacket which I got in Wales'*. Mae'n ddiddorol fod George Arthur Rose yn gwisgo côt gyffelyb ar ddechrau *Hadrian the Seventh*.

Rhaid inni fynd yn ôl at ei amser yn Nhreffynnon i gael mwy o hanes y gôt Gymreig. Yn fuan ar ôl iddo adael brodyr Pantasaff yn 1895 (lle bu'n llochesu) a chael llety yn Nhreffynnon (gyda Mrs Victoria Morris), ysgrifennodd Rolfe at gyfaill yn Rhydychen. Yn y llythyr gwanwynlas hwn ymfalchïa yn y gwaith newydd a ddaethai i'w ran, sef comisiwn i beintio cyfres o faneri i greirfa sanctaidd y ffynnon wyrthiol, ac er mwyn dathlu'i lwc newydd aethai at deiliwr mewn tref gyfagos i gael ei fesur ar gyfer *'a fine jacket made to my own design and specifications [sic]'*. Mewn inc eigionliw mewn llythyr diweddarach at yr un gohebydd, disgrifia Rolfe fel y cerddodd o Dreffynnon *'to the most dreary town of Mold'* i gasglu'i gôt newydd. Cafodd ei siomi pan glywodd fod y dyn a'i mesurasai ar ei ymweliad blaenorol â'r gweithdy, a'r un a luniodd y gôt ar ei gyfer, wedi marw yn fuan ar ôl iddo orffen y gwaith. *'What a pity,'* meddai Rolfe yn ei lythyr, *'it is such an artistick [sic] piece of work.'* Ceir yma ddigon o dystiolaeth – y dyddiadau, y lleoliad, y farwolaeth – i awgrymu pwy oedd y teiliwr hwn. Ac eto buasai'n ffolineb inni neidio i unrhyw ganlyniad oni bai fod sgerbwd stori fer ynghyd â disgrifiad byr o'r crefftwr yn llawysgrifen ddeiliog Corvo ei hun wedi goroesi a'i chadw yn y Llyfrgell Brydeinig.

Yn amlinelliad y testun arfaethedig, di-deitl, y mae artist tlawd, gwrthodedig (Corvo) yn cael addewid gwaith (comisiwn i wneud llun) ac ar hynny yn mynd at y teiliwr safonol agosaf i gael côt newydd. Holl bwynt y stori yw nad yw'r artist yn cael ei dalu am y gwaith. Arferai'r ffug-offeiriad ei garthu'i hunan yn llenyddol fel hyn oherwydd y dicter a deimlai tuag at y bobl a'i tramgwyddai (yn ôl ei ffordd baranöig ef o weld pethau). Mae'r darlun o'r hen deiliwr yn ddiddorol:

He seemed frail and sick. A gentle man and noble of soul though his English was poor and unrefined.

Sylweddola'r artist fod yr hen grefftwr yn debygol o farw yn y dyfodol agos. Wrth iddo fesur breichiau ac ysgwyddau ei gwsmer mae'r teiliwr yn bwtffala gyda'r tâp mesur a'i ddwylo'n crynu fel dail. Yn ei chwithdod annifyr mae'r arlunydd yn dechrau tynnu sgwrs ac mae tipyn o fân siarad yn dilyn. Yn sydyn cwyd safon yr ymddiddan ac er mawr syndod iddo, mewn siop deiliwr, mewn tref ddiarffordd yng ngogledd Cymru, mae'r artist yn deall iddo gwrdd ag enaid arbennig iawn. Ond crafodd Corvo linellau cris croes (inc porffor am newid) drwy'r braslun hwn.

Tybed a gafodd y teiliwr a wnaeth siaced Corvo ei dalu? Mae'n drist meddwl am y llenor aflwyddiannus yn cario'r siaced yr holl ffordd i Fenis dim ond i gael ei orfodi i'w gwerthu er mwyn estyn ei einioes ychydig ddyddiau. *'It is such an artistick piece of work'* mewn inc gwyrdd yw'r unig feirniadaeth ar waith arall (a'r gwaith olaf, fe ddichon) y nofelydd o'r Wyddgrug.